Les THIBAULT 7

チボー家の人々

父の死

ロジェ・マルタン・デュ・ガール

山内義雄＝訳

白水 u ブックス

チボー家の人々7　父の死　目次

一

アントワーヌがスイス行きの汽車に乗るに先だち、まる一日留守になるからと言いに来たその晩、《おばさん》は、最初うわの空の注意しかはらっていなかった。小さな机のまえに腰をおろした彼女は、メーゾン・ラフィットとパリのあいだで紛失した野菜かごについての請求の手紙を書こうと、一時間まえから大いに苦心していた。とても憤慨していた彼女は、ほかのことなど考えることができなかった。そんなわけで、かなりおそくなってから、すなわち、どうやらこうやらその手紙を書きあげ、夜の身じまいをすまし、お祈りを始めるときになって、ふとアントワーヌの言った言葉を思いだした。《ドクトル・テリヴィエにはちゃんと話しておきましたから、知らせてやったらすぐ駆けつけてくれるはずだとセリーヌさんに言っといてください……》せっかくのお祈りを中途にして、今夜すぐにも責任をはたしておかずにはいられなくなった。彼女は、ずっと家の中をぬけ、そのことをセリーヌへ伝えにいった。

かれこれ十時近くだった。

チボー氏の病室では、もう電気が消えていた。部屋の中は、空気を清めるためにと、たえず暖炉にたかれてあるまきの火で、わずかに照らし出されていた。こうした心づかいが、日に日に必要になってきた。それでもなお、つんと鼻をさすようなぱっぷのにおい、エーテル、ヨード、ないし石炭酸のにおい、はっかのはいった鎮痛剤のにおい、とりわけ衰弱しきったからだから発する臭気を消すことはできなかった。

いまのところ、病人はほとんど苦痛を訴えなかった。いびきをかき、何かぐずぐず言いながら、うつらうつらと眠っていた。すでに何カ月というもの、睡眠を忘れ、安息に心を休めることを忘れていた。病人にとって、もはや眠るということは、意識を失うということではなくなり、ほんの短いあいだ、一刻一刻の流れを記録することをやめるというにほかならなかった。なるほど、肢体だけはなかば麻痺状態におかれていた。だが頭脳は、ほんのちょっとのあいだでも、さまざまな映像を作りあげ、過去の生活の断片を雑然とつづかせた、支離滅裂なフィルムを写し出すことをやめなかった。それは、まるで思い出の行列といったようになつかしいものでもありはしたが、いっぽう、悪夢のように疲れさせるものだった。

その晩、半睡の状態は、眠っている彼をして、何かしら不安な感情からとき放ってはくれなかった。そうした感情は、たえず彼を圧迫し、幻覚とまじりあい、一刻一刻高まっていった結果、とつぜん、彼をして、高等中学校の建物の中――寝室、雨天体操場、礼拝堂を抜けて、運動場まで逃げ出させることになったのだった。……彼は、そこ、聖ヨゼフの像のまえに、頭をかかえてへばりこんでしまった。そのとき、数日まえから彼のうえに動いていた、あの恐ろしい、なんと呼んでいいかわからないひとつのことが、たちまちやみの中からおどり出し、それが自分をおしつぶしそうになるかとおぼえて、彼ははっと目をさました。

屏風(びょうぶ)のうしろ、常にないろうそくの光が、いつもは暗くなっている部屋の片すみを照らし出し、ふたつの人影をなげしの上までとどかせていた。話し声がひそひそ聞こえる。《おばさん》の声だった。いつかやはりこうした晩のこと、自分を呼びに来たことがあった……そうそう、ジャックがけいれんをおこしたときのことだった……では、誰か子供が、かげんを悪くしたというのだろうか？……ところでいまは何時だろう？……

童貞(スール)セリーヌの声がしたので、チボー氏は、時の観念をとりもどした。言葉は、はっきりとは聞きとれなかった。彼は、息をこらし、聞き耳をたてた。

まえよりもはっきりしたいくつかの言葉が耳にはいった。

「……ドクトルにはお知らせしてあるって、アントワーヌさんが言ってました。すぐ来てくださるはずだって……」

いやちがった！　病人というのは自分のことだ！　なんでドクトルをよぶのだろう？　頭の上で、ふたたびあの恐ろしいことが、おどりはじめた。容態が悪くなりでもしたのかしら、何がおこったというのだろう？　自分は眠っていたのかな？　容態の悪くなったことに、当の自分が気がつかずにいたというわけなのだ。ドクトルがよばれる。しかも真夜中。いよいよ自分はだめなんだな！　いよいよ自分は死ぬんだぞ！

　そうなると――自分ではそのつもりでなく――近く死ぬぞと言いながら、おごそかに口に出した言葉のかずかずが思いだされた。そして、からだは汗でぐっしょりになった。

　呼ぼうとした。――《誰かいないか！　助けてくれ！　アントワーヌ！》だが、咽喉（のど）からは、ほんのわずかの声しか出なかった。だが、それはいかにも悲痛な声だったので、童貞（スール）セリーヌは、屏風（びょうぶ）に突きあたりながら駆けつけて来るなり、明かりを見せた。

　彼女はすぐに、発作がおこったのだと思った。いつもろう色の老人の顔は、いま朱をさしたようになっていた。目は、つぶらに開かれたままで、何ひとこと言えずにいた。

　それにチボー氏は、身のまわりのことに、何ひとつ気がつかずにいた。頭は、偏執観念のうえにぴたりとそそがれ、冷酷とさえいえるほどの明晰さで動いていた。ほんの何秒というあいだに、彼はひとわたり自分の病気の経過を思いだした。手術。休止期の何カ月。つづいて再発。それから漸進的な病勢の昂進。一日一日、薬のきかなくなっていく疼痛。そうしたあれこれの事実が、たがいに関連し、そこからひとつの意味が生まれた。ああ、今度という今度は、いよいよそれにちがいない！　つい何分かまえまでは、あの安心――それがなくては生きてゆけないあの安心のあったところに、とつぜんひとつの空虚が掘られたのだ。しかも、その空虚があまりにとつぜんであるために、すべての均斉は破れてしまった。いまや見とおしの力もうせ、考えることさえできなくなった。人間の知識は、それほど本質的に未来というものに依存していて、あらゆる未来への可能性が取り去られたとなった瞬間、そして、心の動きのひとつひとつがそれと明らかではないにしても死というものに打ち当たりはじめたと感じた瞬間、少しの思考力をさえ持たなくなるのだ。

病人の手は、シーツをしっかり握りしめた。彼は恐怖に駆られた。声を立てようとしたが、それもできない。雪崩に流される藁しべの感じ。何にすがろうあてもない。すべてはくるりとひっくりかえり、何から何まで、自分といっしょに沈んでゆく……やがてのことに咽喉（のど）がゆるむ。恐怖は、そこをすり抜けて、わっと恐れのさけびを立てる。だが、それもたちまちおしつぶされてしまった。

《おばさん》は、何がおこったのかたしかめようとしたが、背中が曲がっているので自由にならない。そこで、けたたましくわめきたてた。

「何がおこりました？　何が？　セリーヌさん」

そして、童貞（スール）セリーヌが何も返事をしないのを見ると、急いで部屋を出ていった。

どうしたらよいのだろう？　誰を呼んだらよいのだろう？　アントワーヌは留守だし、おおそうだ、司祭さんだ！　そうだ、ヴェカール司祭だ！

女中たちはまだ台所にいた。彼女たちは、まだ何ひとつ聞きつけてはいなかった。《おばさん》が、ひと言ふた言口にするが早いか、アドリエンヌは十字を切った。だがクロティルドは、肩掛けをピンで留め、がま口と鍵をつかんで、走りながら出ていった。

二

ヴェカール司祭は、グルネル町、大司教管区の宗務所の近くに住んでいた。いま、そこの管区事業部のほうの采配をふっているのだった。彼はまだ、仕事机に向かっていた。

クロティルドのタクシーは、数分の後、彼女と司祭とをユニヴェルシテ町へはこんできた。

《おばさん》は、玄関の椅子に腰をかけて、ふたりの来るのを待っていた。司祭は、彼女の頭にいつものような分け髪が見えず、それがうしろのほうに引きつめて結われ、寝まきのうえによじれていたので、最初は彼女であると気がつかなかった。

「おお」と、彼女はうめくように言った。「早く行ってあげてくださいまし……少しでもこわさがおへりになりますよう……」

司祭は、歩きながらあいさつをした。そして、病室の中へはいっていった。

夜具をはねのけたチボー氏は、ベッドから、この家から、暗やみから、おそろしい威圧から、なんとかしてのがれたいと思っていた。彼はいま、ふたたび声が出せるようになっていた。そして、乱暴な言葉を吐いていた。

「恥知らず！　畜生！……けだものめ！　淫売め！」

たちまち、彼は、入口のドアの開かれたところに、光を浴びて立った司祭を見た。病人は、少しの驚きの色もあらわさなかった。だが、一瞬口をとざしたと思うと、たちまちつぎのようにわめきたてた。

「あんたじゃない！……アントワーヌだ！……アントワーヌはどこにいる？」

司祭は、帽子を椅子の上に投げだすと、いきおいよく前へ進み出た。例によってこちこちの顔のこちあげているところを見ると、たしかに、救いをもたらしてやろうとしていることだけ受けとれた。

彼は、ベッドのそばへよると、じっと自分を見つめているチボー氏にたいし、ひと言も口をきかず、いかにも単純に、祝福をあたえた。

と思うと、しんとしている中に声を張りあげ、

「《天にましますわれらの父よ、願わくは御名の尊まれんことを。聖旨の天に行なわれるごとく地にも行なわれんことを……》」

チボー氏は、いまではもがかなくなっていた。目は司祭から童貞セリーヌ(スール)のほうへ、落ちつきなく移されていた。唇はゆるみ、顔のうえには、いまにも泣きだすような、ゆがんだ表情が浮かんでいた。

頭は、右に左にゆらいでいた。だが、それはやがてまくらの上に倒れてしまった。冷笑とでもいったようなすすり泣きも、次第に間遠になっていた。やがて、彼は黙りこんだ。

司祭は、童貞セリーヌのそばへいった。そして、

「苦しんでおいでだったのかね？」と、声を低くしたまままたずねた。

「いいえたいして。たったいま、お注射をしたばかりでございます。お苦しみは、だいたい夜中すぎから始まるのでございます」

「よろしい。ではふたりだけにしておいてもらおう……ところで」と、言葉をつづけた。「ドクトルに電話をかけといてもらおう」そう言った彼の身ぶりから推して、そこには《まさか何から何まで、ひとりでできるものではないし》といった意味がうかがわれた。

童貞セリーヌとアドリエンヌとは、足音をたてずに引きさがっていった。


チボー氏は、うつらうつらしていたらしかった。ヴェカール氏の来るまえにも、こうして、いくたびとなく無意識の中に沈みこんでいった。だが、そうやってとつぜんあらわれる放心状態も、きわめて短いあいだだった。彼はたちまち、ふたたび水面に浮かびあがり、恐怖の気持ちをとりもどし、さらに新しい力でもがきはじめていたのだった。

司祭には、この小康状態の短いであろうこと、この機を逸してはならないことが直感された。顔には、かっとのぼせがあがった。職務上しなければならないことの中でも、臨終の者への励ましこそ、いつも最大の苦手だった。

彼は、寝台のそばへ歩みよった。

「苦しんでおいでですな……いまが一番おつらい時です……ご自身の中だけにとじこもっていないで、主に向かってお打ちあけなさるがよろしいですぞ……」

チボー氏は、くるりと向きなおると、このうえなく不安に満ちた眼差しをヴェカール神父のうえにそそいだ。神父は、思わずまつげをしばだたいた。だが、病人の目の中には、すでに憤怒、憎悪、侮蔑の色が浮かんでいた。それもほんの一瞬。今度は急に、恐怖の色があらわれた。そして、その不安の表情を見ているといかにもたえがたく、司祭は、思わずまぶたを伏せ、なかば顔をそむけずにはいられなかった。

病人は、歯をきしませ、どもりながら言った。

「おお……おお……わしはこわいのだ……」

司祭は、心をとりなおした。

「お力になりにまいりました」と、ものやわらかに言った……「まずごいっしょに祈りましょう……われらの心に、主をお迎え申すのですぞ……さ、ごいっしょに祈りましょう」

チボー氏は、その言葉をさえぎった。

「だって！　それ！　わしは……わしはその……わしはこれから……」（彼にはいま、的確な言葉で死と言ってのけるだけの勇気がなかった。）

彼は、部屋の薄暗いすみのほうに、何かしら狂暴な眼差しをそそいだ。どこに助けを求めよう？　身のまわりには、やみがますます濃くなってゆく。彼は、沈黙の中に、わっとばかりにわめきたてた。

めて呼ばわりつづけた。

そうした彼に、司祭は、ほとんどほっとしたような気持ちになった。彼は、つづいて、全身の力をこめて呼ばわりつづけた。

「アントワーヌ！　アントワーヌはどこへ行った？」そして、司祭が手を動かしかけたのを見ると、「あなたは、ほっといていただきたい！……これ、アントワーヌ！」

そこで司祭は方法を変えた。彼は身を起こし、相手を痛ましげにみつめていた後で、さも魔につかれた人のお祓いでもするように、大きく腕を伸ばして、も一度病人を祝福した。

この落ちつきはらったようすを見て、チボー氏は、立腹せずにはいられなかった。かきむしるような腰の痛みにかかわらず、片ひじ突いて身を起こすと、ぐっとげんこつを突き出した。

「悪党ども！　恥知らずめ！……それにきみもだ、何をいったいつべこべと！……よしてくれ！」

そして、絶望的に、「わしは……死にかけてるんだ……わかったか！　助けてくれ！」

司祭は、立ったまま、べつに言葉も返さずに、じっと病人を見まもっていた。老人も、今度という今度、いよいよぎりぎりまできているのだなと考えたが、こうして黙っていられてみると、まさにとどめを刺されたかたちだった。からだにはふるえがき、力のくずれてゆくのが感じられ、あごまでぬらすよだれをおさえることもできず、さも司祭に、自分の言葉が聞こえなかったか、あるいはわからなかったとでもいったように、哀願のちょうしでくり返した。

「わしは——死にかけてる——わしは……死にかけてる……」

司祭はためいきをついた。だが、何ひとつ否定の身ぶりをしなかった。彼の考えでは、真の慈悲とは、死にかけているものにたわいない幻想を持たせることではないのだった。そして、いよいよのとき、人間の感ずる恐怖にただひとつのこされた手当は、近づきつつある死——たといひそかにではあったにしても、すでにそれを感じて肉体がおびえはじめている《死》にたいし、これを否定せず、むしろ進んでこれを正視し、さとりすましてこれを受け入れるにあると思っていた。

司祭は、しばらく黙っていた後で、全身の勇気をふるいおこしてはっきり言った。

「ですが、たといいよいよの時であったにしても、それほど恐れられてよろしいでしょうかな？」

老人は、顔を張られたといったように、まくらのうえに倒れながらうめき声をたてた。

「おお、おお……なんたることだ……」

もうだめだった。老人はいま、自分がたつまきにさらわれ、なさけ容赦もなくころがされ、決定的に無間(むけん)地獄に落ちてゆくのを感じていた。そして、意識の最後の光も、いまとなっては、いたずらに虚無のひろさをよりはっきりはからせる以外に役立たなかった！　ほかの人たちにとって、死は、ありふれた、人間とは独立したひとつの考え——いろいろある言葉のうちでのひとつの言葉にすぎなかった。だが、彼にとって、それは現在のすべてであり、それは現実そのものだった！　それは自分自身にほかならなかった！　深淵に向かって開かれ、目まいのため、さらに大きくひらかれた目は、ずっと遠くのほうに、自分と深淵とを隔てている司祭の顔、この生きた顔——自分と無関係なその顔を認めた。世の中からおし出され、独りぼっちでいる自分。おそろしい恐怖をいだいて独りぼっちでいるこの自分。いまやぜったい孤独の、その底に触れようとしているこの自分！

しんとした中に、司祭の声が高まっていった。

「よろしいですか。主は、われらのうえに、死がとつぜん。Sicut latro, さよう、《盗人のごとくに》襲いかかることを望んでおいでではありません。すなわちわれらは、そうした恩寵にかなうようにすべきです。さよう、こうしたお知らせこそ主の恩寵のひとつ——主がわれら罪びとにおあたえくださるもっとも大きな恩寵であるというべきです。すなわち永生の門べに立って……」

チボー氏は、こうした言葉が、はるか遠くから、まるで岩に打ちかかる波とでもいったように、恐怖にぼけた自分の頭に、むなしく打ちよせてくるのを聞いていた。彼の気持ちは、ちょっとのあいだ、いままでの癖で、そこに何かよりどころを見つけたいと思って、神の観念を思いだしてみようとした。だが、そうした意気ごみは、すでにその最初から破れてしまった。永生とか、恩寵とか、神とか——それらはもはや、意味のない言葉にすぎなかった！

「主にお礼を申しあげましょう」と、司祭はつづけた。

「主によって、おのれみずからの意志から引き離され、主のみ旨に結びつけられるものは幸いです。祈りましょう。ごいっしょに祈りましょう……心をこめて祈りましょう。主はおたすけくださいましょう」

チボー氏は、首をふり向けた。彼の恐怖の奥底には、狂暴のなごりがたぎっていた。できることなら、司祭をなぐり殺してやりたかった。そして思わずも、瀆神の言葉が口にのぼった。

「主だと？　何を言う？　なんのおたすけだ？　ばかげている！　ことのおこりは、その主にあるんだ！　その主がしむけたことなのだ……」咽喉(のど)がしまって苦しかった。「それなのに、いったいなんのおたすけだ？」老人は、狂人のようにわめきたてた。

いつものとおりの議論ずきな性癖に立ちもどった彼は、ついいましがた、懊悩のあげく、主を否認したことさえも忘れていた。そして、その口からは嘆息がもれた。

「いったい主は、どうしてこんな目におあわせになるんだろう！」

司祭は、首を振った。

「『キリストのまねび』にこうあります。《汝、われより遠きにありと思うとき、われしばしば汝の最も近きにあり……》」

チボー氏は聞いていた。そして、しばらくのあいだ黙っていたが、やがて聴罪師のほうを向きなおると、今度はすっかり弱りきった態度で、

「神父、神父」と、嘆願するように言った。「なんとかしてくださらんか。わしのために祈ってくださらんか！……なあ、あろうことか？……どうかわしを死なせないでほしいのだ！」

司祭は、椅子を近づけて腰をおろし、むくみのきている手をとった。軽く押してみただけでも、そこには血の気の引いた跡が見えた。

「ああ」と、老人はさけんだ。「神父、あなたにもいまにわかりますぞ。あなたの番になるとわかりますぞ！」

司祭はためいきをついた。

「何びとといえども《われに誘惑なし》とは言えません……だがわたくしは、いよいよ臨終となった場合、時を逸せず気をとりなおさせてくれる友をおあたえくださるように、主におねがいいたしましょう」

チボー氏は目を閉じた。いましがたからだを動かした結果、背筋のくぼんだあたりにふたたび床ずれが痛みだし、それが焼き鏝（ごて）のように焼きついた。老人は、からだをのばし、じっとしたまま、おりおり、かみしめたあごのあいだから間をおいて、同じ言葉をくりかえした。「なんたるこった……なんたるこった……」

「あなたも信者でいらっしゃる」と、司祭は、用心ぶかい、悲しそうな声で言った。「この地上の生命が、いつかは終わるということをじゅうぶんご存じでおいででしょう。Pulvis es（汝は塵の身なり）……こうした命が、われらのものでないことをお忘れでしたか？　まるで、ご自分の得られたものをもぎ取られでもするかのように、あらがっておいでだ！　しかし、われらの命は、主からのお預かりものにすぎないことをご存じでしたな。いざ負いめをはらうというときになって、いまさらとやかくおっしゃるのは、まさに忘恩と言われましょう……」

チボー氏は、まぶたを細めにあけた。そして、司祭のほうへ、恨みをこめた一瞥をそそいだ。つづいてその目は、ゆっくり部屋の中を見まわした。そして、あたりの暗さにもかかわらず、はっきり見分けられるあらゆる物の上にいちいちとまった。それらすべて、彼にとってはわが物だった。何十年という昔から、毎日毎日ながめくらしていたところのもの、毎日毎日わが物と思っていたところのものなのだった。

「こうしたすべての物と別れるのか！」と、老人はつぶやいた。「いやだ！」とつぜん悪寒が身をふるわせた。そして「こわい！」と、くりかえした。

司祭は、きのどくになってきた。そして、まえよりずっとかがみこんだ。

「主もまた、臨終の苦しみと血の汗とをご経験になりました。主もまた、一時、ほんの一瞬時、父なる神のみ旨をお疑いになりました。《エリー、エリー、ラマ、サバクタニ！　わが神、わが神、なんぞわれを見捨てたまいし……》どうかお考えになってください。あなたのお苦しみと、主のお苦しみとのあいだには、胸うたれずにはいられないような一致点があるのではないでしょうか？　しかるに、主は、たちまちお祈りになりました。そして、はげしい愛に胸をおどらせて《父よ、われここにあり！　父よ、われきみを信ず！　父よ、われは身をささげたり！　わが思いをおきてすずきみのみ旨の成らんことを！》と、おさけびになりました」

司祭は、自分の指の下に、大きな手のふるえているのを感じた、そしてちょっと言葉を切った。ついで、なんらちょうしを高めることなく、そのまま言葉をつづけていった。

「お考えになりましたろうか？　ここ何十世紀、何千世紀にわたって、われらが悲しき人類は、その運命を地上に築いてきたのでした……」司祭は、こうしたあまりにもばくとした議論の立てかたが、とうていその目的を達し得ないであろうことを見てとった。「ひとつ、ご家族のことをお考えいただだきましょう」といって、話を具体的な方向に向けた。「お父さまのこと、おじいさまのこと、ご先祖さまのこと、あなたと同じようなすべてのかたがた、あなたよりも先に生まれ、あなたと同じように生き、たたかい、苦しみ、希望されたかたがた、そしてつぎつぎに、世のはじめに定められたときに、その出発の場所に立ちもどって行かれたかたがたのことを……Reverti unde veneris, quid grave est？（その来りしところにもどるなり。なんのつらきことかあらん）あらゆるもの、すべて万能の父のみ胸に立ちかえるという考え、それこそ心を安らげてくれるものではないでしょうか？」

「それはそうだ……だが……早すぎる！」と、チボー氏はためいきをついた。

「不平をおっしゃっておいでですな。だが、人々のうちの幾人が、あなたのような境遇をめぐまれました？　あなたこそは、多くの人々にゆるされないこの高齢まで生きる特権をおゆるされになったのでした。主は、あなたを救ってくださるため、かたじけなくもこの高齢をおゆるしになったのでした」

チボー氏は、身をふるわせた。

「司祭さん！」と、老人は口ごもりながら言った。「わしには、それが恐ろしくてならんのだ……」

「恐ろしい……なるほど。だが、あなたには、なんでほかの者たち以上にこわがる理由がおありでしょう。あなたは……」

病人は、乱暴に手をひっこめた。そして、

「ちがいますわい」と、言った。

「ちがいません」司祭は、やさしく、自説をとってくだらなかった。「わたくしは、あなたがいろいろなお仕事をなさったことを存じています。あなたはいつも、この地上の幸福以上の目当てをとらえておいででした。あなたは、隣人にたいする愛の気持ちから、貧困と戦い、精神的堕落とたたかわれた。あなたのようなご一生こそ、まさに有徳のかたのご一生というべきです。安心して、この世をお去りになれるわけです」

「ちがいますわい！」と、病人は鈍い声で言ってのけた。そして、司祭が手をとろうとするのを見ると、それを勢いよくはらいのけた。

病人は、いまの言葉をきいて、満身創痍の思いだった。そうだ、自分は地上の幸福だけしか考えたことがなかった！　この点、自分はあらゆる人々を欺いていた。司祭も。そして当の自分自身までをも、ほとんどいつも。事実、彼はすべてを《人々からの思惑》の犠牲にした。卑しい、きわめて卑しい感情だけしか持たなかった。そして、それをば極力隠していた！　利己主義！　虚栄！　金持ちになりたい、支配してやりたいという渇望！　人から尊敬され、何か一役演じたいためのひけらかしの慈善！　不純、見せかけ、虚偽――そうだ、虚偽だ……ああ、なんとかしてこれらのすべてを消し去りたい、すべて新たに出なおしたい！　ああ、有徳の人と言われていた生活が、なんと気恥ずかしく思われることか！　彼にはいま、そのあるがままの姿において、わが生活がながめられた。だが、時すでにおそし！　いまその決済の日がきたのだ。

「あなたのような信者のかた……」

チボー氏はわめき立てた。

「黙れ！　信者だと？　じょうだんじゃない。わしはけっして信者ではない。わしは一生……そうだ一生……隣人への愛だ、と？　黙れ！　わしにはぜったい人を愛することができなかった！　誰ひとりとして。そうだ、ぜったいに！」

「まあ、まあ」と、司祭が言った。

彼は、チボー氏が、ジャックを自殺に追いつめたことについて自責の言葉をくり返すにちがいないと思っていた。だが、それは思いちがいだった。この数日来、チボー氏は一度も失踪したせがれのことを思いださなかった。いま思いだしているのは、遠い過去のことに過ぎなかった。野心に燃えた青年時代のこと、世間への第一歩のこと、最初のころの奮闘のこと、はじめて世間に認められたときのこと。そして時おり、一人まえの人間になってから受けた名誉のことなど。だが、最近の十年間のことは、まったく薄やみの中におぼろに消えてしまっていた。

チボー氏は、痛みをこらえて腕をあげた。そして、

「あなたが悪いんだ！」と、とつぜん浴びせかけた。「なぜまにあううちに、なんとか言ってくださらなかった？」

だが、たちまち悲嘆が憤慨をおさえてのけた。そして、さめざめと泣きだした。嗚咽のため、からだはまるで笑ってでもいるように揺れていた。

司祭はかがみこんだ。

「人おのおの一生の中には、ある日、あるとき、ほんのつかのま、主がたちまちその全知をもって姿をしめされ、急にその手をおさし伸べになることがあります。それは往々、信仰なき生活の後においてであり、あるいはまた、あくまで信者らしく思われた長い一生の終わりにおいてであります……あなたにたいしても、おそらくは今夜はじめて、ほんとに主のみ手がさし伸べられるのではありますまいか？」

チボー氏はまぶたをあけた。疲れた頭脳の中には、主のみ手と、司祭の生きた、きわめて身近な手とのあいだに、ひとつの錯覚が生まれていた。彼は、その手を取ろうと腕をあげた。そして、息をはずませながら言った。

「どうしたらいいのでございます？　どうしたら？」

言葉つきもいままでとは変わっていた。それは最初、死を前にしていきりたっていた恐怖とはちがっていた。それは、答えを受け入れるゆとりのできたひとつの問いかけ、すでに悔恨の色のあらわれている恐怖の気持ち、赦免によって消すことのできる恐怖の気持ちにほかならなかった。

《主》の時が近づいているのだ。

だが、司祭にとっては、それはあらゆる時のうち、一番むずかしい時なのだった。説教のはじめ、いつも説教壇でやるように、ちょっとのあいだ心を静めた。じつは、顔にこそ出さなかったが、彼はチボー氏の非難によって内心の痛いところを突かれていた。自分は、何年という長い年月、自分に信頼しきっていたこの倨傲（きょごう）な精神の所有者にたいし、はたしてどれだけの感化をあたえていたか？　自分は、どういうふうに自分の務めをはたしていたか？　いまならばまだ、告解者たるチボー氏の、また指導者たる自分自身の、その双方のあやまちを償うことができるのだ。そうだ、こうしてふるえている霊をとらえ、それをキリストのみ前にひざまずかせなければ、と思うと、いつも人間をとり扱いつけている習慣から、ふと、敬虔な、ひとつの巧者な考えを思いついた。

「悲しむべきは」と、言った。「それはいま、現世のご生活が終わることではありません。じつに、現世のご生活が、そのあるべきようになったという点にあります……だが、たといあなたにして、ご一生を通じ、必ずしも常に教化善導のよき典例でおありでなかったにしても、真に信者らしいりっぱなご最期こそ、少なくものちのちのため、りっぱな模範をおのこしになることになりましょう！　ご最期をまえにしてのご態度によって、どうかあなたを存じあげている人々にたいし、よき典例なり、りっぱな教訓なりをおあたえになっていただきたいと思います！」

病人は、はげしくからだを動かし、手をふりほどいた。いま、彼の心は、そうした考えになりかけていた。そうだ！　《オスカール・チボーは、聖者のように死んでいった》どうかそう言われたい。ようやく指を組み合わせた彼は、目をとじた。司祭には、病人のあごの動いているのが見えた。病人はいま、主に向かって、どうかお恵みにより大往生が遂げられますようにと祈っているにちがいない。

すでに病人には、恐怖というよりは、なにかしら気落ちといったようなものが感じられていた。自分が、あらゆる滅ぶべきものの中でのもっともみじめなものであるように感じられていた。そして、こうした自分自身にたいする憐憫の気持ちには、あの突発的な恐怖のあとをうけて、何かしらなごやかなものがないでもなかった。

司祭は顔をあげた。

「聖ポーロは言われました、《希望なき人々のごとく嘆くなかれ》あなたはまさにそのひとりです。こうしたおごそかな時に際し、あなたはすっかり希望を捨てておいでになる！ あなたは、主があなたの裁き手たるに先だって、あなたの父でいらせられることをお忘れです。そしてあなたは、主にたいし、そのお慈悲を認めないという不遜をあえてしておいでになる！」

病人は、司祭のほうへ、おろおろした眼差しを投げながらためいきをついた。

「さあ、お落ちつきにならなければいけません」と、司祭はつづけた。「主のお許しをお信じになるのです。誠実な、全心をあげての懺悔のまえには、いまわのときに臨んでのお許しだけで、一生の罪が消えることをお忘れになりませんように。あなたは、主のお造りになられたもののひとりでおいでになる。主は、われらの誰にもましてはっきりと、いかなる泥によってわれらを造りたもうたかをご存じなのではありますまいか？ 主は、われらを、あるがままのすがたにおいてお愛しになっておいでになります。そして、この確信こそ、われらの勇気、われらの信頼の、その根本的な源泉です。そうです、信頼。極楽往生の秘訣は、すべてこの一語に尽きております。In te, Domine, speravi.（主よ、われ主にたのみ奉る）……主への信頼、主のみ恵みへの信頼、無限なる主のおいつくしみへの信頼！」

司祭は、ずっしりとした、落ちついた、特にこれこれの言葉に力を入れなければならないという彼一流のやり方を心得ていた。そして、そういうとき、彼は、かなり説得力のある重々しさでその手をなかば差しあげるのだった。だが、その単調な言葉づかい、長い鼻をもった無感覚な顔だちからは、ほとんどなんの熱意もうかがえなかった。それにもかかわらず、こうした聖なる言葉が、いかにもすみやかに、いかにもきっぱりと、はげしい恐怖、そうした反抗をおさえることができるというのは、それらの言葉自体にじゅうぶんの力があり、それが何百年にわたる経験の結果、人間臨終の不安にぴったりあてはまるようにできていたからにちがいなかった。

チボー氏は、がっくり首をたれた。あごひげが胸に触れた。ひとつの新しい感情——みずからにたいする憐憫ないし絶望などよりずっと実のあるひとつの感情が、こっそり胸にしみこんでいった。新しい涙が頰を流れた。ひとつの衝動が、すでに彼を《強き慰めの力》のほうへ押しあげていた。彼はいま、身をまかせ、ゆずることだけしか考えなかった……と、彼はたちまち歯を食いしばった。よく知っている疼痛が、腰からふくらはぎにかけて襲ってきたから。彼は、聞くのをやめて身をこわばらせた。しばらくして痛みはふたたびおとろえていった。

司祭は言葉をつづけた。

「……それはちょうど、山頂にたどりついた旅びとが、来し方をふりかえって見るのに似ています。人の一生は、なんとみじめなものでしょう！　ばかばかしいほど狭い活動範囲の中で、いつもいつも同じ努力をくり返しているに過ぎません！　むなしい焦慮や、くだらない快楽。いつもむなしくくり返され、しかもけっして満たされたためしのない幸福への渇望！　こう言ったからとて、はたして誇張と言えましょうか？　これぞまさしくあなたご自身の生活でした。いな、これぞまさしく、この世に生きとし生けるものの生活であると言えるのです。こうした生活、そこにははたして、神によって造られたわれらを満足させるだけのものがありましょうか？　そこにははたして、心をひくにたるほどのものがありましょうか？　では？　何にそれほど心をひかれなければならないのか？　さあ！　いつも気息奄々として、苦しみ多い肉体にでありましょうか？　哀れな肉体——いつも努力に堪えきれぬ肉体、どうしてみても苦痛、憔悴から守り得ない、この肉体にというのでしょうか？　さよう、このことをはっきり認める必要があります。すなわち、肉体にして滅ぶべきものであること自身、まさにひとつの恩寵です！　久しいあいだ、それの奴隷となり、それの囚人となっていた後で、いまやそれをかなぐり捨て、それをはぎとり、それから自由にのがれて、それをまるで古着のように路傍に捨ててしまえること、これぞまさしく天寵です！」

こうした言葉は、瀕死の病人にとって、きわめて直接な現実性をおびて考えられた。そして、このがれるという考えは、病人にたいし、たちまちひとつの希望ででもあるように微笑して見せた……だが、すでに彼の裡にひそみ入っていたこのなごやかな気持ち、それこそ、別な姿をかりて生きようとする希望、ひたむきな、執拗な、生きんとする希望でなくてなんであろう？　こうした考えがちらと司祭の胸をかすめた。《あの世》への希望、主の胸に永遠に生きようとする希望。それこそは、この期に臨み、ちょうど生きているあいだ、来るとき来るときを生きようとする希望と同じく、まさにこれなくしてはやまれぬところのものなのだ……

ちょっと間をおいて、司祭はつづけた。

「さあ、主のほうへお目をお向けになるがよろしい！　これから捨てようとしておいでのわずかばかりのものを量ってごらんになったあとで、何があなたをお待ちうけしているかを考えてごらんになるがよろしい。もうこれからは、卑劣、不公平、不正などはないのですぞ！　困苦も責任もないのですぞ！　日ごと日ごとのあやまち、そして、それにともなう悔恨のつらなりもないのですぞ！　善と悪とに身をさかれる罪びとの報いもないのですぞ！　これからは、平安、安定、至上の調和、神のみ国が得られるのですぞ！　はかなきもの、もろきものをお捨てになって、恒久のもの、永遠なるものにおつきになる時がきたのですぞ！　おわかりですかな？　Dimitte transitoria, et quære æterna.（つかのまのものをすて、永遠なるものを求めよ）……あなたは、死ぬことを恐れておられた。あなたは、頭に、何か恐ろしいもの、暗黒といったようなものを描いておられた。だが、それはまったく反対ですぞ。死は、信者にとって、輝きわたる未来です！　それはやすらぎ、安息のやすらぎ、永遠の安息のやすらぎなのです。さ、なんと申したらよろしいか？　もっともっと楽しいもの！　それは、あふれかえる《生》の喜びであり、それは、大いなる《全体》の完了です！　Ego sum resurrectio et vita.（われは復活なり、生命なり）……それは、単なる解放とか眠りとか忘却だけではありません。それは目ざめであり、開花です！　死は、更生です！　死は、新しき生命への、完き意識への、選ばれたるものの至福への復活です。死は、一日の労働の後にくる、夕暮れの報いだけにはとどまりません。それこそは光のなか、永遠の黎明さしての飛躍です！」

　まぶたを伏せたチボー氏は、幾度となく納得したしるしをしてみせた。顔のうえには微笑のかげがうかがわれた。とりわけ、輝かしかった昔の日々の記憶が、光の中に生まれてきた。自分が、ごく幼いころ、母のベッド――いま彼が瀕死の病人として横たわっているそのベッドの足もとにひざまずき、母の手にわが手を持ちそえられながら、輝かしい夏の朝《天にましますわれらが父よ……》と、わが身に《天国》をひらいてくれた最初の祈りをとなえた日のことが思いだされた。あるいはまた、御堂（みどう）のなか、最初の聖体拝受のときのこと、はじめてわが身に近づいてくるご聖体を前にして感動にふるえていたときのことが思いだされた……さらにはまた五旬節のある朝のこと、ミサの後、しゃくやくの咲きほこるダルヌタルの庭の小道を歩いて行ったいいなずけ時代のころが思いだされた……これらさわやかな思い出をまえにして、彼は微笑を浮かべていた。そしていま、おのが肉身のことさえ忘れていた。

　いまはただ死を恐れなくなったばかりではなかった。このとき、彼の心を悩ましていたのは、たといあますところわずかであれ、なお生きていなければならないということだった。彼にはいま、この世の空気が、呼吸するに堪えないもののように思われていた。ほんのわずかのしんぼうで、それも終わってくれるだろう。彼は、はじめて重心を見いだすことができたような気持ち、いまや自分自身の心をとらえ、われとわが身の識別がはっきりできたといったような気持ちだった。そこから、いままでかつて覚えなかったような幸福感がわきおこった。それでいながら、自分の力は、ばらばらになり、散りぢりになり、いわば自分のまわりに散乱してでもいるような気持ちだった。だが、そんなことはどうでもよい。もう自分は、そうしたものに属してはいないのだ。それらはもはや、自分とのはっきり絶縁の感じられる一個地上の人物の残骸にすぎないのだ。そして、もうすぐせまっているさらに完全な全的解体の予想が、それをまだ感じることのできる彼にとって、ただひとつ恍惚の気持ちをかき立ててくれていた。

聖霊が、見そなわしたもうていた。司祭は、主に感謝しようと思った。そして、その感謝のしぐさには、そこにひとつの人間らしい得意さ、訴訟に勝った弁護士の満足感といったようなものがまじっていた。彼は、それを意識すると同時に悔恨をおぼえた。だが、いまは、反省している時ではなかった。ひとりの罪びとが、まさに主のみ前に召されようとしているのだ。

司祭は、首をたれ、あごの下に両手を合わせ、心をこめて、高い声で祈りはじめた。

「おお主よ、おん時がまいりました！　慈悲憐憫の大君よ、わたくしはいま、最後のみ恵みをお願い申しております。おお主よ、いまこそおん時がまいりました！　主の愛のみ心の中に死なしめたまえ。De profundis.（深き淵より）……暗やみの底、深き淵より、われ恐れにふるえて clamavi ad te, Domine!（主にさけびたてまつれり）主よ、わたくしは主に呼びかけました！　いまこそおん時！……わたくしは、主の永生のほとりに立ち、主を正面からながめたてまつらんといたしております！　わが悔恨をみそなわせたまえ。わが祈りをうけさせたまえ。ふたたび、いやしきわれに立ちかえらしめたもうことなかれ！　ご宥免のしるしとして、わがうえにおん目を注がせたまえ！　In te, Domine, commendo!（われ主にまかせたてまつる！）われ、主にまかせたてまつる。われ、主をたのみたてまつる……いまこそおん時！　主よ、主よ、われを捨てたまわざれ……」

こだまのように、瀕死の病人もくりかえした。

「われを捨てたまわざれ!」

長い沈黙。ついで司祭は、ベッドのほうへかがみこんだ。

「あしたの朝、聖油をお持ちいたしましょう……今夜は告解をなさいますよう。わたくしが赦罪(ゆるし)をおあたえしましょう」

そして、チボー氏が、そのぼってりした唇を動かし、かつてない熱心さで、自分の罪の告白というより、むしろ身も世もあらぬ悔悟の言葉をつぶやきおわるやいなや、司祭は彼のほうへ身をかがめ、手をあげながら、赦免の言葉をささやいた。

「Ego te absolvo a peccatis tuis……In nomine Patris, et Filii, et Spiritus Sancti.(われ、父と子と聖霊との御名によりて汝の罪を許す)」

病人は黙っていた。その目は、さもいつまでもそうしていなければならなかったといったようにひらかれたままで、そこにはわずかに物問いたげなかげ、というよりむしろ驚きのかげがうかがわれ、そしてそこに輝いている無邪気なようすは、この瀕死の老人を、とつぜん、壁の上、ランプの上のあたりにかかっている子供時分のジャックを描いたパステル画の肖像に似させた。

彼はいま、自分の霊をこの世につなぎとめている最後のきずなの解けていくのを感じていた。だが彼は、こうしたおとろえ、こうしたもろさを快く味わっていた。彼はまさに、消えんとして揺らめいているひとつの息にすぎなかった。生は、水浴の人が岸にあがったその後も、なお流れつづけている川と同じく、自分がいないでもなおつづいていた。そして彼は、自分が単に生の外にあるだけでなく、いまやほとんど死の外にさえ立っているのを心に感じた。彼はいま、夏のある日の空のように、この世ならぬ光に満ちた空の中に、はるかにあがって行きつつあった。

ドアをたたく音がした。

祈りつづけていた司祭は、十字を切って、戸のほうへ歩いて行った。童貞(スール)セリーヌだった。ついたばかりのドクトルもいっしょだった。

「どうぞそのまま」と、テリヴィエは、司祭を見るなり言った。

司祭は、童貞セリーヌのほうを見た。そして、その身をかわしながら、ささやくようにこう言った。

「おはいりください、ドクトル。もうすみました」

テリヴィエは、病人のほうへ進んだ。そして、いつもと同じように、安心しきったようす、打ちとけたちょうしで話しかけなければならないと思った。

「いかがですな? 今夜はどういうふうにお悪いですな?……ちょっとした発熱? 新しい血清のせいです!……」彼は、両手をもみ、ひげをかきなで、そして、童貞セリーヌを証人にしてこう言った。「アントワーヌ君もすぐ帰って見えますよ。ぜったいご心配ご無用です。すぐ楽にしておあげします……あの血清ですよ……」

チボー氏は、じっとひとみを見すえながら、この男の嘘をつくのを、何も言わずにながめていた。彼は、これまで幾度となく、しかもたのしくだまされつづけていた。こうした子供らしい説明、こうした快活さ、こうしたお芝居。それらすべては、いまはっきり見すかされた。彼は、その指先で、さまざまな嘘にふれてみた。要するに、これまで何カ月かまえから演じられつづけてきた不吉なお芝居、それがいま、日を透かすようにながめられた。アントワーヌがくるというのはほんとうだろうか？　何ひとつ信じられぬ……第一、それがいったいどうだというのだ？　すべてどうでもかまわないのだ。ぜんぜん、そしてぜったいにどうでもいいのだ。彼は、いま、これほどはっきり人々の心のうちを読みわけながら、べつに驚いてもいなかった。世界は、自分とは交渉のない、ぴたりと門をとざした一個の《全》を形作っている。そして、瀕死の自分は、もはやそこには身の置き場所を持たないのだ。ひとりぼっちだ。神秘とさし向かいのひとりぼっちだ。神とさし向かいのひとりぼっちだ。そして、彼には、いかにもしみじみとそのひとりぼっちのことが感じられ、主がいますということをもってしても、その寂しさは打ち消せなかった！

　自分でも気がつかないうちに、まぶたがおりた。彼にはもはや、夢と現実とを分かとうという気持ちもなかった。彼はいま、音楽的なやすらぎに浴(あ)みしていた。彼は、いささかもいらだつことなく、じっとからだを動かさず、落ちついて、心もそらに——心身ともにここになく——ただ診察され、さわられるままになっていた。

三

パリへはこばれる汽車の中、兄弟は、寝るのをあきらめてからも、長いこと別々の片すみに身をうずめながら、薄暗い車中の空気に麻痺したようになって、それぞれひとりをまもるため、少しでも長くひとりでいようとあくまで眠ったふうをよそおっていた。

アントワーヌは、目をつぶることができなかった。重態の父を残してきたという心配が、いったん帰路につくやいなやはげしく心によみがえってきた。そして、夜をこめて、何時間となく列車の騒音にゆられながら、疲労と不眠のおかげで不吉な想像を仮借なく描きつづけていた。もっとも、病人のそばへ近くなるにつれ、そうした不安もだんだん消えつつあった。もうじきそこへ帰りつき、ふたたび自分が指図し、手当をすることができるだろう。だが、このとき、別のむずかしい問題がはっきり姿をあらわした。家出をした弟の帰宅を、チボー氏に、どういうふうにして知らせたものか？　またジゼールには、どうやって知らせてやったものか？　きょうにもロンドンへ手紙を書こうと思っていたが、それもけっしてたやすいことではなかった。ジゼールにたいしては、ジャックの生きていたこと、見つかったこと、すでにパリにもどって来ていることまでも知らせてやらなければなるまい。しかも、彼女がすぐ駆けつけてこないようにしなければならない。

ほかの乗客たちが立ちさわぎ、くさめをしたり、電気のおおいをはずしたりするのが、ふたりの目をあけさせた。ふたりは目と目を見合わせた。あきらめと不安とに駆られた、いかにもおずおずしたジャックの顔を見ると、アントワーヌはかわいそうになって来た。

「寝られなかった?」彼は、弟のひざのあたりを突つきながら言った。

ジャックは、しいて微笑して見せようともせずに、無感覚なようすで肩をそびやかしてみせた。それからひたいをガラス窓のほうへ向け、じゅうぶん眠りからさめない沈黙の中に身をおいた。やがて彼は、その沈黙から出ようとせず、また出られもしないようになっているらしかった。朝食は、食堂車へ行って、列車がまだやみに沈んでいるパリ郊外のあたりを走っているうちにすませた。列車がとまる。彼はそろそろ明けかかる夜の寒さの中に、プラットフォームにおり立った。彼は、タクシーをさがすアントワーヌにひきずられるままに、停車場の外に幾歩か出た。これらすべての動作——夜霧におぼれて、ほとんど現実のものとは思えないようなそうした動作は、なんら同意を必要としない、まったく必然の行為のように行なわれた。

アントワーヌは、窮屈にならない程度で、口数が少なかった。しかも相手をあてにすることなく、ジャックがべつに返事をしないでもすむようにといった話しぶりだった。彼は、すべての動きをいかにも快活にやってのけていた。その結果、こうして帰って来たことも、なんだかこのうえもなくあたりまえのことのように思われだしていた。ジャックは、ユニヴェルシテ町の歩道におり立った。つづいて階下の玄関の中にいる自分を見いだした。それでいて、彼は何ひとつ——自分の無気力であることの意識さえも持たずにいた。レオンが、物音をきくなり駆けつけてきて台所のドアをあけたとき、アントワーヌは、その眼差しを避けながら、落ちつきはらったいつものちょうしで、郵便をつみ重ねたテーブルの上にかがみこみ、うわのそらの声でこう言った。

「おはよう、レオン。ジャックがいっしょに帰って来たよ。あの……」

だが、レオンが言葉をさえぎった。

「若旦那さま、ご存じありませんか？　まだ上へはいらっしゃらないんでございますか？……」

アントワーヌは、身を起こすなりさっと顔色を変えた。

「……ごようすがとても悪いんでございます……テリヴィエ先生はずっといらっしってくださいました……女中どもの話では……」

アントワーヌは、もうドアの向こうへ踏み出していた。ジャックは、玄関のまん中に立ちすくんだままだった。事実でないといったような、悪夢の印象が強かった。彼は一瞬躊躇した後、いそいで兄のあとを追った。

階段は暗かった。

「早くだ」アントワーヌは、ジャックをエレヴェーターの中へ押し入れながら、声をひそめてそう言った。

格子のしまる音、ガラス張りのドアのしまる音、動きだすにつれて聞こえるぶうという響き、これら知りすぎるほど知っているすべての響き――ずっとまえから、いつも同じ順序でつづき、いままた長いながい忘却の後で、ひとつひとつ彼の心に分け入る響きが、いま、ジャックを過去の思い出の中に押しこんだ。たちまちわきあがってくる、はっきりした、やけつくような思い出。アントワーヌと並んで、このガラス張りの檻の中にはいったときのこと。黙ってこれに乗せられたときのこと。ダニエルとの家出の後、マルセイユから帰って来たときのこと！

「踊り段のところで待っておいで」と、アントワーヌがささやいた。

だがぐうぜんは、すべての心づかいを無用にさせた。住まいのはしからはしへ、たえず小きざみ足に歩きまわっていた《おばさん》は、エレヴェーターのとまった音を耳にした。やれやれ、アントワーヌさんが帰って来た！　彼女は、その弓なりの背のゆるすかぎり、いそいでそこまで駆けつけた。四本の足を見つけた彼女は、ぼうぜんとして立ちつくした。そして、ジャックが、彼女にキスしようとうつむいたとき、はじめて彼であることに気がついた。

「やあれ、やれ！」彼女は、はっきりしないちょうしで言った。（彼女は前々日このかた、どんな突発事件がおころうと、さらにこのうえ驚くことはないだろうと思われるほど、すっかり動転していたのだった。）

住まいの中は、あかあかと照らされていた。ドアというドアはあけ放たれていた。事務室の戸口に、シャール氏のおろおろしたような顔が浮かんだ。彼は、ふしぎそうにジャックをながめ、目をしばだたくと、例の「あ、あなたでしたか？」を言い放った。

《はじめて、しっくりはまったときに言いやがった》アントワーヌは、思わずそう思った。彼は、弟をほうったまま、ひとりで病室のほうへいそいで行った。

病室は、すっかり暗く、ひっそりしていた。半びらきになったドアを押した彼には、最初小さなランプの光だけしか目にはいらなかった。つづいて、まくら、父の顔が見えてきた。目はとざされ、身動きせずにいるのだが、一点疑う余地はなかった。たしかに父は生きていた。

部屋にはいった。

一歩中にはいるやいなや、彼は、ベッドのまわりに、何事がおこったとでもいうように、テリヴィエ、童貞(スール)セリーヌ、アドリエンヌ、それにもひとり彼の知らない年寄りの童貞さんの立っているのに気がついた。

テリヴィエは、暗がりの中から抜け出して、アントワーヌのほうへやって来た。そして、化粧室のほうへつれて行った。

「まにあわないかと心配していた」彼は、せきこんだちょうしで打ちあけた。「腎臓がつまった。もう分泌しなくなったんだ。ぜったいに……不幸にも、尿毒症がけいれん症状を呈してきた。女たちだけでは困ると思って、ぼくはずっとここにいた。だが、きみが帰ってこなかったら、看護人を呼ばせるところだった。ゆうべは発作が三度あった。そして、最後のやつが強かった」

「腎臓がとまったのはいつからなんだ?」

「二十四時間まえからだ。少なくとも、セリーヌさんは、きのうの朝、はじめてそれに気がついたんだ。当然、注射はやめてしまった」

「なるほど……」アントワーヌは首を振りながら答えた。

ふたりは、顔と顔とを見合わせた。テリヴィエには、アントワーヌの心の中がはっきり読まれた。《二カ月つづけて、腎臓のひとつしかない病人に強い注射をしつづけてきたんだ。いまさらそんな斟(しん)酌(しゃく)なんて……》テリヴィエはきっと顔をあげると、その両腕をひろげてみせた。

「といって、むちゃをするわけにはいかない……尿毒症が盛んなときには、ぜったいモルヒネはつづけられないんだ！」

それはもちろんのことだった。アントワーヌは、言葉に出さずに肯定した。すると、

「さあ行くぜ」と、テリヴィエが言った。「十二時ごろに電話をかけよう」それからとつぜん、「ときに、弟さんはどうだった?」

金いろのアントワーヌのひとみに、きらりと光がきらめいた。彼はいったん目を伏せ、ふたたびそれをあげてみせた。

「突きとめた」彼は、ちらりと微笑を浮かべた。「そして、つれて帰って来ている。そこにきているんだ」

テリヴィエは、肉付きのいい手をひげの中にうずめた。鋭い、快活な眼差しが、アントワーヌのほうをじっと見つめた。だが、いまは、質問すべきときでもなく、所でもなかった。それにおりから童貞(スール)セリーヌが、アントワーヌのブルーズを持ってはいって来た。テリヴィエは、童貞セリーヌをなが

めた後で、アントワーヌのほうをじっとながめた。そして、きっぱり言ってのけた。

「それではぼくは失敬するぜ。きょうはなかなかつらいだろう」

アントワーヌは、まゆげをよせた。

「モルヒネがないと、病人はとても苦しむでしょうね？」と、彼は童貞（スール）セリーヌにたずねた。

「わたくし、とても熱いぱっぷをしてさしあげております……からし泥を……」そして、アントワーヌが、信用しないらしいのを見ると、「なにしろ少しはお楽になりますので」

「では、そのぱっぷの上に、せめてローダムでもつけましょうか？　どうでしょう？」彼にはちゃんとわかっていた。モルヒネなしでは……だが彼は、けっして負けたとは思わなかった。「材料はすっかり下にあります」彼は、童貞セリーヌに言った。「ちょっといってきますからね」そして、テリヴィエをドアのほうへ押しながら、「さあ！」と言った。

住まいの中を横切りながら、彼は《ジャックはどうしたかな？》と、思った。だがいま、弟にかまけている暇がなかった。

ふたりは、ひと言も口をきかずに、足早に階段をおりて行った。最後の段までおりたとき、テリヴィエは、くるりとふり向いて手を出した。アントワーヌはその手をとった。そしてとつぜんこうたずねた。

「テリヴィエ君……率直に言ってほしいんだ……どう思う？……こうなると、早いかしら？」

「むろんだね。尿毒症がこのままだったら！」

アントワーヌは、力づよく手を握ってこれに答えた。そうだ、彼にはいま、自分の忍耐ができ、不撓の意気の生まれたことが感じられた。もはや、時の問題だ……そして、ジャックも見つけることができたんだし。

上の病室では、アドリエンヌと年寄りの看護の童貞のふたりが、発作が近づいたのに気がつかず、チボー氏のまくらもとにすわっていた。病人の息づかいに気がついたときには、すでにふたつのこぶしはけいれんし、首筋は硬直して、頭はぐっとのけぞっていた。

アドリエンヌは、急いで廊下へ飛び出した。

「セリーヌさま！」

誰もいなかった。彼女は玄関まで走っていった。

「セリーヌさま！　アントワーヌさま！　たいへんです！」

ジャックは、シャール氏とふたりきりの事務室の中からこの声を聞きつけた。そして、考えるまもなく病室さして駆け出した。

ドアは、あけ放たれたままになっていた。彼は椅子につまずいた。何も目にははいらなかった。人かげが、光の前に動いていた。やがて彼には、がっくりしたひとつのかたまりが、ベッドの上、横さまにぶっ倒れ、両手をはげしく振りまわしているのが目にはいった。病人は、すでにふとんの縁まですべり出していた。アドリエンヌと看護の童貞は、持ちあげてみようとしたがだめだった。ジャックは駆けよって、搔巻(かいまき)の上に片ひざをつき、父をしっかりだきあげてようやく上半身を起きあがらせ、元のとおりにまくらにつかせてやれた。彼は身近に、熱い肉体、その苦しそうな息づかいを感じた。自分の下にあお向けになったこの顔、ひとみのない、白目ばかりの顔は、ぐっと近くで見ていながら、ほとんどそれと想像がつかなかった。彼はそのまま身をかがめ、けいれんをつづける父のからだを、ぐっとかかえて動かさなかった。

すでに、神経発作はおさまりかけていた。血行も、ふたたび元どおりになっていた。立ち迷っていたひとみは、ふたたびその姿をあらわし、じっとひとつのところにおさまっていた。そして病人には、生気をとりもどした目のおかげで自分のうえにのぞきこんでいる青年の顔が次第次第にわかりかけたようだった。見えなくなった息子の顔がわかったのか？　そうした意識がひらめいたというなら、彼にはまだ、現実と、錯乱の中に浮かぶ支離滅裂な夢とのあいだに、区別ができているのだろうか？唇がふるえた。ひとみがぐっと大きくなった。そしてたちまち、どんより曇った彼の目の中に、ジャックには、きわめて的確な思い出が浮かんだ。そうだ、昔、父が忘れた日付や、人の名などを思いだそうとするとき、その目の中には、これと同じ注意深い、ばくとした表情、表面なにか中心をはずしたとでもいったようなものが見られた。

ジャックは、手首に力を入れながらからだを起こした。そして、咽喉(のど)を締めつけられながら、機械的に、つぶやくように言った。

「お父さん?……え?……お父さん、いかがです?」

チボー氏のまぶたは、ゆっくりおろされた。気がつくかつかないくらいのふるえが、その下唇とあごひげとを動かした。つづいて、次第次第にはげしさを加えるふるえが、顔を、肩を、上半身をゆりあげた。父はむせび泣いていたのだった。ゆるんだ口からは、あきびんを水の中に沈めるときのような音がもれていた。ブルー・ブルー・ブルー……看護の童貞は、少しばかりの綿であごをふこうと手を出した。そしてジャックは、身動きをする気にもなれず、目は涙に曇り、ゆりかえすからだのうえにかがみこんだまま、ばかになったような声でくりかえした。

「お父さん……いかがです?……ええ?……お父さん、いかがです?……」

童貞（スール）セリーヌをしたがえてはいって来たアントワーヌは、弟を見るなり立ちどまった。いったい何事がおこったのか、彼にはわからなかった。またわかろうとも思わなかった。彼は、手に、なかば満たしたメートル・グラスを持っていた。童貞セリーヌは、便器とタオルを持っていた。

ジャックは立ちあがった。彼はベッドから遠ざけられた。病人はつかまえられ、かいまきをまくられた。

彼は、部屋の奥まで遠のいた。彼に注意しているものはひとりもいない。ここにいて、父の苦しみをながめ、そのさけび声を聞いているか? よそう……彼は、ドアまで行った。そして、そこの戸口を越えて、はじめてほっとした気持ちになった。

廊下の中は薄暗かった。どこへ行こう？　事務室へか？　彼はすでに、シャール氏とさしむかいの味を知っていた。椅子の上にちょこんと坐り、肩をまるめ、両手をひざに、うれしそうに微笑しながら、まるで《お引きとり》の知らせを待ってでもいるようだった。《おばさん》のほうは、さらに度を越してたまらなかった。ふたつ折れになった背中や、ゆかにつきそうな鼻、そしていろいろな物音に聞き耳をたてながら、まるでのら犬のように、そばを通りかかる誰彼の後について、部屋から部屋へとうろつきあるいていた。こうして彼女は、その小さなからだで、がらんとした住まい全部をいっぱいにしていた。

ひとつだけ、しまったままの部屋があった。隠れているにはかっこうだった。ジゼールの部屋だった。だが、そんなことはどうでもよい。ジゼールはイギリスへ行っているのだから！……

つまさき立って歩きながら、ジャックはその部屋の中に身をかくし、かんぬきをさした。するとたちまち、ほっとなごやかな気持ちになった。一日ひと晩ひきつづいた窮屈な気持ちから、やっとひとりになれたのだ！　部屋の中は寒かった。電気はつかない。おそい十二月の朝日の光が、わずかによろい戸のすきにうかがわれた。彼は、ジゼールの思い出を、すぐにはこの暗い部屋に結びつけることができなかった……彼は、一脚の椅子に行き当たって、腰をおろした。そして、寒そうなようすで腕を組み、からだをまるめ、何も考えないでじっとしていた。

ふたたびはっと気がついたとき、日は窓掛けを通してさしていた。彼はすぐに、その窓掛けの青い葉模様に見おぼえのあるのに気がついた。パリ……ジゼール……彼のまわりには、眠っていたあいだに、忘れられていた道具立てが浮かびあがっていた。彼はながめた。そこにあるひとつひとつのものに、彼は、われとわが手で、昔——前の世で……さわってみたことがあるのだった。自分の写真、あれはどうなってしまったろう？　壁の上には、ほかとくらべてずっと明るい正方形が、アントワーヌの写真と並んでいた。さては、ジゼールがはずしたのか？　おこってか？　いや、ちがう！　それを持って行くためにだ！　むろんイギリスへ持って行こうとしてなのだ！　ああ、またすべてが、新規まきなおしにはじまるのか？　彼は、肩をゆすりあげた。それは、網にかかった動物が、とびあがるたびにますます身をからまれていくようだった。ジゼールはイギリスにいる。それでよかった！　するとたちまち、彼女のことが憎く思われた。彼女のことを思うやいなや、何か力がうせてゆくように思われたので。

彼には、思い出を踏みにじりたい欲求がきわめてはげしく感じられた。その結果、彼はこの部屋からのがれようと思って、ぴょんと立ちあがった。だが、彼はたちまち父のこと、あの臨終の苦しみのことを思いだした……少なくもこの部屋では、ひとつの面影と戦いさえすれば、すむのだった。ほとんどひとりと言ってよかった。彼は、部屋の中央にもどって、テーブルのそばに腰をおろした。ジゼールの筆の跡が、吸取紙の上に残っていた。彼女の紫インキ……心みだれた彼は、ちょっとのあいだ、裏がえしになったそれらの文字を読もうとした。だが、彼は、ブロッティング・パッドを押しやった。その目はふたたび涙にあふれた。ああ、忘れるのだ。そして眠るのだ！　彼は、テーブルの上に腕を組み、顔を伏せた。ローザンヌ、友人たち、そして、ひとりぼっちの生活……できるだけ早く帰ろう。

帰るんだ、帰るんだ……

彼は、誰かドアをあけようとしているもののあるのに仮睡の夢を破られた。

アントワーヌが、彼をさがしていた。もうずっとまえに正午になっている。病人の落ちついたひまを見て、食事をしておかなければ。

食堂には、二人まえの食事が用意されていた。《おばさん》は、シャール氏を自分の家へ食事に帰らせた。そして彼女は、なんたることぞ、《あまり心配が多すぎて》とても食卓につけないというのだった。

ジャックは、ほとんど腹がすいていなかった。アントワーヌは、黙ったまま一心に食っていた。ふたりはたがいに顔を見ないようにつとめていた。こうしていっしょに食卓につかなくなってから、いったいどれくらいになるだろう？　あとからあとからいろいろな事件が引きつづいて、ふたりにとって、そうした感慨にふけるだけの暇さえなかった。

「きみだということがわかったかね」と、アントワーヌがたずねた。

「さあ」

また沈黙があった後で、ジャックは皿を押しやって顔をあげた。

「ねえ、兄さん……どういうことになるんだろう？　これからはどうなっていくんだろう？」

「うん……もう三十六時間も腎臓の濾過がとまっている！　わかるかね？」

「うん。で？」

「で、どうしても中毒をふせぐことができないとなると……はっきり言うのはむずかしいが、たぶんあした……ことによると今夜にでも……」

ジャックは、ほっとためいきの出るのをおさえた。

「苦痛は？」

「うん、それは！」と、アントワーヌが言った。そして、さっと顔を曇らせた。

《おばさん》が、自分でコーヒーを持ってきてくれたのを見て、彼は口をつぐんだ。ジャックは、彼女がコーヒーをつごうと自分のそばへよって来たとき、あまりはげしくコーヒー・ポットがふるえるので、思わずそれを彼女の手から取ろうとした。すっかり肉が落ち、黄ばみ、そして幼いおりの思い出のまつわりついているそれらの指、それを見るなり胸がせまった。彼は、つとめて微笑してみせようとした。彼はからだをかがめたけれど、相手の眼差しは見えなかった。《おばさん》は、何ひとつ問いかけるでもなく、ただ彼女の《ジャコ》の帰って来たのを喜んでくれていた。だが三年間というもの、《おばさん》は彼が死んだと思って泣き悲しんでいた。そして、彼が帰って来たいまになっても、その亡霊のほうへ敢然として目をあげるだけの勇気がないのだった。

「苦痛という点だが」と、アントワーヌはふたたびふたりきりになるが早いか話をつづけた。「じつはそれがだんだんはげしくなってくるものと覚悟しなければならない。一般に、尿毒症は、知覚麻痺の昂進、その結果そうとうおだやかな死をもたらすものだ。だが、それがこうしたけいれん的形態をとってくると……」

「では、なぜモルヒネの注射をやめたんです?」と、ジャックがたずねた。

「つまり、排泄がとまったからだ。それをやったら、殺すことになるんだから」

風にあおられたようにドアがあいた。おろおろした小間使いの顔が、のぞいたと思うとまた消えた。彼女は、呼ぼうと努力した。だが、口から声が出なかった。

アントワーヌは、彼女のあとから、飛びだしていった。心にもないひとつの希望——それでいてすぐ気のついたひとつの希望に、心を引きたてられていた。

ジャックも席を立っていた。おなじ希望が、ひとしく彼の心をかすめた。そして一瞬ためらった後、同じく兄のあとにつづいた。

だが、ちがっていた。まだ臨終ではなかったのだ。それは、別な発作にすぎなかった。ただ、それはいかにも唐突で、しかもきわめてはげしかった。

あごを強く食いしばって、ジャックには、すでにドアのところから、歯ぎしりの音がきこえていた。顔はまっかになっていた。目は裏がえしになっていた。呼吸には、障害があり、停止があり、しかもそのままになりそうに思われて、ジャックは生きた空もなく、自分も息ができなくなって、兄のほうをふり返った。四肢はすっかり攣縮して、硬直をきたした病人のからだは、ただかかとと後頭部でふとんに接しているだけだった。しかも、一刻一刻からだはますます弓なりになり、そして筋肉の緊縮が極度に達したとき、それはわななくほどな均衡をみせた不動の姿勢をとり、しかもその均斉には、一瞬まさに努力の窮極が見られていた。

「エーテルを少し」とアントワーヌが言った。その声は、ジャックにとって、おどろくほど冷静なものに思われた。

発作は昂進をつづけていた。だんだん強くなるさけび声は、そのよじれた口から、はげしく、思いだしたように発せられた。頭が、右へ左へ動きはじめた。盲めっぽうな興奮が、たえず手足を襲っていた。

「腕をおさえて」と、アントワーヌがささやいた。彼自身も、もういっぽうの手首をつかんでいた。そしてふたりの看護の童貞は、ばたばたやりながら夜具をはねのけている、病人の両足をおさえるのにかかっていた。

戦いは、しばらくのあいだつづいていた。やがて、けいれんのはげしさはおとろえはじめた。癲癇(てんかん)的な運動が間遠になった。頭はやがてゆれなくなり、ひかがみはゆるみ、からだはぐったり伸びてしまった。

そのとき、ふたたびうめき声がはじまった。「やあれやれ……やあれやれ……」

ジャックは、いままで持っていた腕をベッドの上におろした。そしてそこに自分の指の跡のついているのに気がついた。シャツの手首のところが破れていた。カラーのボタンが、ひとつ飛んでいた。

ジャックは、ぼってりした、しめった父の唇から目を放すことができなかった。そこからは、同じ訴えの声が執念ぶかく吐かれていた。「やあれやれ……やあれやれ……」すると、とつぜん、興奮や、中途でやめた昼食や、あのエーテルのにおいなどが……ジャックは胸が悪くなってきた。彼は、気を引きしめ、からだを起こそうとつとめてみた。彼には、自分に血の気のなくなったことが感じられた。そして、やっとのことで、よろめきながらドアのところまでたどりついた。

　年寄りの看護の童貞にてつだってもらってベッドをととのえていた童貞(スール)セリーヌは、急にアントワーヌのほうをふり向いた。彼女は、シーツを持ちあげてみせていた。ちょうど病人がもがき苦しんだそのあたりに、大きな汚点(しみ)が、軽く血の色をにじませながらひろがっていた。

　アントワーヌは、何もようすにはあらわさなかった。だが、しばらくの後、ベッドのそばをはなれ、暖炉のところへ来て身をもたせた。腎臓は、ふたたび機能を回復して、――いつまでつづくかわからないが――中毒症状を中断していた。もちろん、その時のくることにはまちがいなかった。ただ、それが延期されたのだった。おそらくは数日……彼は身を起こした。彼としては、そういつまでも、がっかりするような事実にはこだわりたくなかった。そうだ、戦いは予想よりもずっと長くつづくだろう。それはなんともしかたがない。長くつづけばつづくほど、完全な手はずを立てなければ、何をおいてもじゅうぶんな人手を貯えておくこと。病人のそばには、交代の二組をきめて、かわるがわる休ませよう。補充としては、レオンをあがってこさせよう。自分は、両方の組にはいろう。自分は、病室を離れたくない。いいぐあいに、スイスへ行くまえ、数日間からだに暇をつくっておいた。もし患家に火急なことでもおこったら、テリヴィエにたのんで行かせよう。さてそれからと？――そうだ、フィリップ先生に知らせるんだ。同時に病院へも電話すること。――それから？――何かたいせつなことを忘れているような気がした。（疲れている証拠だな。冷たい茶でも入れさせよう）……なんだ、ジゼールのことだった！　夕方までに、ジゼールあてに手紙を書こう。《おばさん》が、姪を呼び帰そうとまだ言い出さないのが何よりだった！

彼は、暖炉の前に立ち、両手を大理石のマントル・ピースにかけながら、足を、片足ずつ機械的に火のほうへさし出していた。手はずをととのえること、それはすなわち働きかけることだった。彼はふたたび冷静さをとりもどした。

部屋の奥では、チボー氏が、苦しいままにますます高くうなっていた。ふたりの童貞さんは椅子に腰をおろしていた。こうしたあいだに、ちょっと電話をかけてこよう……彼はまさに出かけようとして思い返した。そして、ずっとそばへよって病人を調べた。この息切れ、だんだん顔にあらわれてくるこの赤らみ……新しい発作がおこったのか？　ジャックはいったいどこにいるんだ？

すると、ほとんど同時に、廊下で人の話し声が聞こえた。

戸があいた。ヴェカール司祭が、ジャックをしたがえてはいって来た。アントワーヌは気むずかしそうなジャックのようすに気がついた。いっぽう、不感無覚な司祭の顔には、目がきらきら輝いていた。だが、チボー氏のうめき声は、刻一刻とはげしさを加えた。とつぜん、腕を突き出したと思うと、腕の関節がちぢまって、まるでくるみを割るような音が聞こえた。

「ジャック」とアントワーヌは、エーテルのびんに手をさし伸べながら言った。
司祭はためらった。そして、そっと十字のしるしを切ると、音も立てずに出て行った。

四

夕方、夜、それに翌日の朝のうちずっと、アントワーヌの案になる二組の人たちは、チボー氏のまくらもとで、三時間ごとにたえず交替をくり返した。第一の組は、ジャック、仲働きの女中、それに年寄りの童貞さん。第二の組は、童貞(スール)セリーヌ、それにレオンと台所女中のクロティルド。アントワーヌは、まだほんのわずかの休息さえとっていなかった。

発作は、ますます頻発の度を加えていった。それはいかにも激烈だったので、ひとわたり発作がすむと、看護の人たちは、病人同様息をきらして坐りこみ、手をつかねて病人の苦しむのをながめるよりほかになかった。なんともほかにみちがなかった。けいれんとけいれんとのあいだ、神経痛はますますはげしくなっていった。からだのほとんどいたるところが、痛みのありかになっていた。そして発作と発作のあいだ、ただ長いうめき声が聞かれていた。病人の頭は、いまはずっと弱っていた。何がおこっているかもわからなかった。おりおり、口から出まかせのうわ言さえ言っていた。ただ、知覚だけははっきりしていた。そして、たえず手まねで、苦しいところを指してみせた。アントワーヌは、病床についてもう何カ月というのに、老人の元気なことにおどろかされた。病人にもすっかりなれきっている看護の童貞たちさえ、あっけにとられていた。こうした異常な抵抗も、尿毒症によってくじかれることになるにちがいないと思っていた彼女たちは、一時間に何回となく、ベッドがあいかわらずかわいており、二十四時間このかた、腎臓がその機能をやめている事実をみとめにやってきた。

最初の一日から、すでに家番がやって来て、窓だけでなく、よろい戸もしめてもらいたい、なにしろうめき声は中庭に反響し、家中をおびえあがらせているからと言った。四階に住む妊娠中の若い婦人は、ちょうどその部屋が病人の部屋の真上にあたっていたので、こうしたうめき声に青くなり、深夜両親のところに避難しなければならなかった。そんなわけで、いま戸という戸がしめられていた。部屋はただ、まくらもとの小さなランプによって照らし出されているだけだった。空気の流通をはかるため、たえずまきを燃やしてはいたが、部屋の中の臭気に、とても息がつけなかった。ジャックは、ともするとこうした腐敗した空気、こうした薄暗がりに麻痺させられ、さらにまた三日このかた駆りたてられた興奮の結果疲れきり、立ちながら、何もせずに、ほんのちょっとのあいだとろとろとした。そうしては、はっと目をさまし、しかけた動作をつづけるのだった。病室を出ていい時刻になると、彼はアントワーヌの住まいへおりて行った。彼は、部屋の鍵を持っていた。そこへ行きさえしたら、安心して自分ひとりになれるのだった。彼は昔自分に当てられていた部屋の中へ駆けこんだ。そして、着のみ着のままで、そこの椅子ベッドの上に身を投げた。だが、そうしたところで、やはり安息は得られなかった。窓掛けをすかして、雪の舞うのが目にはいった。それは、向こうの家々を目から隠し、また町の物音を消していた。このとき、彼は、ローザンヌのこと、エスカリエの狭い通りのこと、カンメルジンの下宿のこと、ソフィアのこと、また友だちたちのことを思いだした。すべてはひとつにまじりあっていた。現在と記憶と、パリの雪と彼の地の冬と、この部屋の暖かさと、あの小さなスイスふうのストーヴのぬくみと、そして衣類にしみこんだエーテルのにおいと、黄樅(きもみ)の床板のあぶらっぽいにおいと……彼は、居場所を変えようと思って立ちあがった。彼は、アントワーヌの書斎までたどりついた。そして、すっかり疲れきって、安楽椅子に腰をおろした。彼は、長すぎるほどむなしく待たされたとでもいうかのように、みのりのない望みと満たされない感じと、それに何事も、どこへいっても、自分にとっては救われないほど他人行儀であることに腹だたしいほどの気持ちになっていた。

正午から、発作はほとんど間断なしに引きつづいた。そして、容態の悪化は目に見えて明らかだった。ジャックは、自分の組の人たちといっしょに看病の番がやってきたとき、けさとつぜんあらわれた変化にはっと思った。顔の筋肉のたえざるけいれん、とりわけ、中毒の結果であるむくみは、顔の道具だてをすっかり変え、病人の顔はほとんどそれと見分けられないほどになっていた。

ジャックは、兄にたずねてみたいと思った。だが、手の放せないいろいろな世話が、ふたりの注意を必要にさせていた。それに、疲労の結果ぼんやりしていた彼にとって、思うところを明晰な言葉に表わすことがきわめて困難に思われていた。おりおり、発作と発作のあいだ、この小やみない苦しみを目のあたり見ることのつらさから、彼は、問いかけるような意味ぶかい眼差しを兄のほうへ向けた。だが、アントワーヌは、歯を食いしばり、目をそらしてしまうのだった。

ますますはげしさを加えるけいれんがつづいた後、ジャックは、疲れきり、ひたいを汗でびっしょりにしながら、はげしい衝動に駆られるままに、ぐっと兄のほうへ進んで行った。そして、腕をつかむなり、部屋の奥につれて行った。

「兄さん！　もうとても見ていられない！」

言葉づかいには、非難の意味がしめされていた。アントワーヌは、元気なく肩をすくめてみせながら、顔をそむけた。

「ねえ、考えてほしいんだ！」兄の腕をゆすりあげながら、ジャックが言った。「楽にしてあげなくちゃ！　何か見つけてあげなくちゃ！　どんなことをしてでも！」

アントワーヌは、軽蔑のようすで肩をそびやかした。そして、長いうめきをたてている病人のほうをながめた。どうしたらいいというのだ？　入浴？　もちろんその考えは、いままでにも幾度となく思い浮かんだ。だが、はたして実行可能だろうか？　浴室は、住まいのずっとはずれ、台所のそば、直角をなして曲がっている廊下のはしにあった。とほうもない冒険……だが、たといそうであっても……

しばらくのあいだ、彼は賛否を考えてみた。そして決心をきめた。頭の中には、すでに計画が組み立てられていた。だいたいにおいて、発作の後、三、四分ぐったりしている時期を利用しなければいけない。そして、そのためには、すべてまえもってじゅうぶん手はずをととのえておく必要があった。

彼は、顔をあげて、年寄りの看護の童貞のほうを向いて言った。

「あ、ここはこのままにしておいてください。そして、レオンに来るように言ってください。それからセリーヌさんにも。シーツを二枚持ってくるように、って。二枚。それからアドリエンヌ、おまえは風呂場へ行って、湯を出してきてもらおう。三十八度。いいね？　ずっと向こうにいて、わたしたちが行くまで、三十八度を保たせておくんだ。それから、クロティルドに、タオルをオーヴンの中に入れておくように言ってくれ。それから床ぬくめの行火に火を入れておくようにって。さ、早く」

休息していた童貞セリーヌとレオンとは、おりよくベッドのすそのアドリエンヌと交替しにやって来た。ふたたび発作がおこりかけていた。きわめて強いものだったが、それはかなり短くてすんだ。

発作がすみ、短いけれどおだやかな呼吸が、いろいろな身ぶりをともなったあえぎの時期につづくと見るや、アントワーヌは、ひとわたり助手たちのうえをながめわたした。

「さ、いまだ」と、彼は言った。そして、ジャックに向かって言いたした。「あわてちゃいけない。一秒のむだもゆるされないんだ」

ふたりの童貞さんは、すでにベッドのそばから離れていた。シーツからほこりが立ち、壊疽をおこした皮膚の臭気が部屋の中にみなぎった。

「早く着物を脱がせるんだ」と、アントワーヌが言った。「レオン、あとからのために、まきを二本入れといてくれ」

「やあれやれ……」と、病人がうめいた。「やあれやれ……」一日一日、床ずれはひろがり、深くえぐられていっていた。肩胛骨、下半身、かかとなど、ただ黒ずんだ傷口のようで、それが、タルクや包帯にもかかわらず、シーツにくっついていた。

「ちょっと待って」と、アントワーヌが言った。彼は小刀を手にして、シャツをぐっとたてにさいた。布を切る刃物の音をききながら、ジャックは思わずぞっとせずにはいられなかった。

からだ全部があらわれた。

大きな、ぶよぶよした、白っぽい肉体。それは同時に、むくんでいるといった感じと、とてもやせているといった感じだった。両手は、拳闘のグローヴのように、骨ばかりの腕のはしにたれていた。両足は驚くほど長く、まるで毛の生えた骨とでもいうように見えていた。乳と乳とのあいだにはごま塩の毛が生えていた。それは、隠し所をもおなじくなかば隠していた。

ジャックは目をそむけた。あとになってから彼は幾度となく、この瞬間のこと、自分を生ませたその人をはじめて赤裸な姿でながめたときの、その奇怪な感じを思いだした。つづいて彼は、一瞬電光のように、チュニスにいたとき、通信用の手帳を手にし、おなじように素裸の、おなじようにからだがむくみ、おなじようにごま塩の毛におおわれた別の肉体——ひとりの年寄りのイタリア人の淫猥な肉体――をながめていたときのことを思いだした。それは、首をくくっていたのを発見されたもので、白日のもと、外に寝かされていた。近所の町内の、色とりどりなわんぱくどもは、わいわい言いながら死体のまわりを飛びはねていた。そしてジャックは、自殺した男の娘、まだほんの子供にすぎないその娘が、泣きながら広場を横ぎり、子供たちの群れを足げにしながら追っぱらい、死体の上にひとかかえの枯草を撒いているのを見た。おそらくは、恥ずかしいと思ってのことにちがいない。それとも蝿がくるからかもしれなかった。

「ジャック、たのむぜ」と、アントワーヌがささやいた。

アントワーヌと童貞セリーヌのふたりが、病人の腰の下に巧みにすべりこませているシーツのはしを、からだの下に手を入れながらつかんでやらなければならなかった。

ジャックは、言われたとおりにした。するとたちまち、そのじっとりした感触にびっくりして、思わずはっとせずにはいられなかった。――それは、同情とか愛とかをずっと立ちこえた肉体的な感動。人が人にたいする利己主義的な愛情だった。

「シーツのまんなかのところ」と、アントワーヌがさしずをした。「よし。もっと楽に。レオン、こっちをひっぱって。さ、まくらを取るんだ。童貞さん、あなたは両足を持ちあげて。もう少し。床ずれに気をつけて。ジャック、シーツの頭のほうのすみをしっかりつかんで。ぼくは、別のすみをつかむから。セリーヌさんとレオンとは、足の両はしをつかむんだ。いいかな？　よし。ちょっとためしにやってみよう。一！　二！」

シーツは、四すみをぐっとひっぱられてのびきりながら、ベッドの上から、大骨折って病人のからだを持ちあげた。

「よしよし」と、アントワーヌは、ほとんどうれしそうな声で言った。そしてみんなも、何か試みるときの喜びを感じていた。

アントワーヌは、年寄りの童貞さんのほうへ向かって言った。

「病人の上に毛布をかけてやってください。そして、先に立っていって、ほうぼうのドアをあけてください……準備はいいな？　さ、やろう」

行列は、重たげにゆるぎ出して、狭い廊下の中へはいって行った。病人は、わめき立てていた。シャール氏の顔が、ちらりと事務室の戸口に見えた。

「足のほうをもう少しさげて」と、苦しそうな声でアントワーヌが言った。「そう……そう少し休むか？　平気？　じゃ、このままつづけて……気をつけて！　戸棚の鍵にひっかかるぞ……がんばって。もうちょっとだ。曲がりかどに気をつけて」遠くから、浴室いっぱいになっていた《おばさん》と女中ふたりの姿が見えた。「さあさあ、出た出た！」と、彼はさけんだ。「五人いたらたくさんだ。アドリエンヌとクロティルド、おまえたちはそのあいだにベッドのそうじをして。そして、床ぬくめであたためとくんだ……さ、今度はこっちだ。戸口だから斜めにして。よしよし……ええ、下においてはだめじゃないか！　あげた、あげた！　もっと湯ぶねの上まであげなくちゃいけない。それからゆっくり湯に沈める。シーツのまんまだ！　しっかり持って。そうっと、少しゆるめて。まだまだ。そうだ、ちぇっ！　湯が多すぎた。あふれてしまう。そのままおろして……」

シーツをくぼましているずっしりした肉塊は、湯ぶねから多量の湯をあふれ出させながら、しずかにその中へ沈んでいった。湯は、湯ぶねの四方からあふれ出し、シーツを持っていた人たちをぐっしょりぬらし、タイル張りのゆかを、廊下のあたりまでもひたしてしまった。

「これでよし」アントワーヌは、くさめをしながら言った。「十分ばかり息がつけるぞ」

チボー氏は、たしかにあたたかい湯のせいで、ちょっとのあいだわめくのをやめていた。だがたちまち、まえよりはげしくさけび出した。彼はばたばたもがこうとした。だが、うまいぐあいに手足がシーツのしわにくるまって、動作の自由がきかなかった。

それに、興奮も、次第におさまっていった。病人はもはやわめかず、ただうめき声だけをたてていた。「やあれやれ……やあれやれ」しかも、しばらくすると、うめき声も立てなくなった。明らかに、大きな安息を味わっているにちがいなかった。《やあれやれ》というその声も、満ちたりた、小さなためいきのように聞こえていた。

五人の男女は、湯ぶねのまわり、足を水にひたしたままで立っていた。そして、不安な思いを感じながら、さて何をなすべきかを考えていた。

とつぜん、チボー氏は、声をあげて目をあけた。

「ああ、おまえか？……きょうはいかん……」彼はまわりを見まわした。だが当然、そこにある何ひとつ見わけることはできなかった。「そっとしといてくれ」と、彼はつづけた。（これこそは、二日このかた、彼が口にした、意味のある最初の言葉というべきだった。）彼は口をつぐんだ。だが唇だけは、さも祈禱をとなえているかのように動いていた。そして、何か聞きとれないほどの早口で言っていた。耳を突き出したアントワーヌは、やっとふた言三言とらえることができた。

「聖ヨゼフさま……死に臨めるものの守り神……」やがて、少しのあいだをおいてから。「……哀れなる罪びと……」

ふたたびまぶたがおろされた。顔は、おだやかだった。呼吸はせまっていたが、ちょうしはよく整っていた。わめき声の聞こえなくなったことは、一同にとって信じがたいほどの安息だった。たちまち、老人は小さな笑い、ふしぎなほどはっきりした、子供らしい笑いをもらした。アントワーヌとジャックとは顔を見合わせた。何を思いだしているのだろう？　目はとざされたままだった。そのとき、かなりはっきりと、だがあまりわめいたのでしわがれてしまった声で、老人はふたたび、《おばさん》に思いださせてもらった少年のころのリフレインを歌いだした。


さあさ、行けゆけ、お馬は走る！

さあさ、行けゆけ、お待ちかね！


彼はくりかえした。「さあさ……行けゆけ……」そして、言葉はそのまま消えてしまった。

アントワーヌは、ちょっと当惑して、目を伏せたままでいた。《お待ちかね……》と、彼は思った。

《いやな趣味だな……ジャックがなんと思うだろう？》
ジャックのほうでも、まったく同じ感情を味わっていた。その当惑の気持ちは、自分の耳にはいったものからきたのではなかった。ただ、それを聞いたのが自分ひとりでなかったことからきていた。すなわち、ふたりは、それぞれ、ただ相手を考えて、それで当惑していたのだった。

そろそろ十分になりかけていた。

アントワーヌは、入浴のことに目をくばりながらも、病室までつれもどるときのことを考えていた。「こんなぬれたシーツに包んでいくわけにもいかないし」と、彼は低い声で言った。「レオン、行って、たたみ椅子のふとんを持ってこい。それから、クロティルドに言って、オーヴンに入れてあるタオルをもらってこい」

ふとんは、ぬれたタイルの床の上に投げ出された。それからアントワーヌの命令一下、みんなはシーツの四すみをつかみ、大骨折って病人を湯ぶねから引きあげ、ぐっしょりぬれたままのからだをふとんの上におろした。

「早くふくんだ……」と、アントワーヌが言った。「よし。それから毛布にくるんで、からだの下に乾いたシーツを入れる。早くするんだ。かぜをひかせないように」

《だがかぜをひいたって、それがどうだと言うんだ？》と、彼はすぐに考えた。

彼は身のまわりを一瞥した。何から何までぐしょぬれだった。ふとんも、シーツも、みんな水につかっていた。すみのところに、椅子が一脚ひっくりかえっていた。浴室は、まるで洪水の跡とでもいうようだった。

「さ、みんな持ち場について。そして行進をはじめる」と、彼は命令した。

乾いたシーツは、ぴんと張られた。からだは一瞬、ハンモックの底にあるようなゆれかたをみせた。つづいて行列は、ふらふらして、たまっている水の中をぼちゃぼちゃさせながら立ちあがった。そして、あとに水をたらしながら廊下の曲がりかどに消えて行った。

何分かの後、チボー氏は、敷きなおされたベッドの中、頭はまくらのまんなかに、両腕はぐったり夜具の上に伸ばして横になっていた。身動きもせず、とても青い顔色だった。長いながい幾日の後で、彼ははじめて苦しみを忘れたとでもいうようだった。

だが、小康は、永続きしなかった。

四時が鳴って、ジャックが病室をはなれ、ちょっと休もうと例の下の部屋へおりかけたとき、玄関のところでアントワーヌにつかまった。

「早く！　呼吸困難だ！　コトロに電話だ。フルリュス、五四〇二番。セーヴル町のコトロ、酸素を三、四本すぐよこすようにって、……フルリュス五四〇二番」

「ぼく、タクシーで行ってこようか？」

「いや、向こうにはリヤカーがある。早く。きみにはきみで用があるんだ」

電話はチボー氏の事務室にあった。

ジャックはそこへ飛びこんだ。あまりはげしい駆けこみ方に、シャール氏は椅子から飛びあがった。

「呼吸困難になったんです」ジャックは、電話機をはずしながら吐き出すように言った。

「もしもし……コトロ商会? ちがう?……じゃ、フルリュス五四〇二番じゃないんですか?……もしもし……局ですか、こちら病人なんですが! フルリュス、五——四——〇——二! もしもし……コトロ商会? こちらは医者のチボーですが……そうお願いできますか……?」

からだをふたつに折り、電話機を載せたテーブルの上にひじをついたジャックは、部屋のほうへ背を向けていた。話しながら、彼は、何げなしに、前にあった鏡のほうへ目をあげた。と、あけ放たれたドアが見え、そして、そこの戸口に、ぼうぜんと立ちつくし、じっとこっちを見つめているジゼールの姿が目にはいった。

五

ジゼールは、前日ロンドンで電報を受けとった。それはクロティルドの思いつきで《おばさん》の同意をえて、アントワーヌがローザンヌへ行っている留守に打たれたものだった。彼女は、すぐに出発した。そしてなんの予告もなしにパリに着き、ユニヴェルシテ町まで車に乗り、家番にたずねる気にもならず、胸とどろかせながらまっすぐ住まいまであがってきたのだった。

戸をあけたのはレオンだった。彼が上の住まいにきているのにはっとした彼女は、どもるようにこう言った。

「おじさまは?」

「まだでございます」

「じゃあ……」と、誰かが隣の部屋でさけんでいた。「フルリュス五四〇二番じゃないんですか?」

ジゼールはぎょっとした。錯覚かしら?

「もしもし……局ですか、こちらは病人なんですが……」

彼女は、思わずかばんを下においた。足ががたがた震えていた。何をするのか自分にもよくわからずに、彼女は控えの間を抜け、細めにあいていた事務室のドアを両手で押した。

その人はこちらに背を向け、テーブルにひじをついていた。ひたいのはえあがった横顔は、まぶたを伏せながら、緑がかった鏡の中に、遠く、ほとんど現実のものとも思えないように写し出されていた。彼女は、ジャックが死んだとは一度も考えたことがなかった。見つかったのだ。お父さまの病床に帰って来たのだ……

「もしもし……こちらは医者のチボーですが、……そう……お願いできますか……?」

ゆっくりと、ふたりの眼差しは近よっていった。ジャックは急にふり返った。手には、びんびん言葉の響いている受話器を持ったままだった。

「……お願いできますか……？」と、彼はくりかえした。咽喉は引きつっていた。つばをのみこもうとはげしい努力をしているのだが、ただしめつけられたような《もしもし……》だけしか出てこなかった。彼にはもはや、自分がどこにいるのか、なんで電話をかけているのか、すっかりわからなくなっていた。彼には、考えを立て直すため、えらい努力が必要だった。耳がつんぼになりそうな響きが、彼の頭をゆるがしつづけていた。――「もしもし、ご用件は？」と、じれったそうな声が聞こえた。彼の心には、酸素……《おやじは呼吸困難なんだ》と、彼は思った。アントワーヌ、瀕死の病人、無断ではいって来た彼女にたいする怒りの気持ちがわいていた。何をしにやって来たんだ？どうしてくれというんだ？なんですがたをあらわしたんだ？すっかりすんでいるんじゃないか？

ジゼールは、身動きもしなかった。浅黒い彼女の顔には、黒い、大きな、つぶらな目、従順な犬の目といったような美しい目が、あっけにとられたために、さらにいきいきしたやさしい光に輝いていた。彼女は、めっきりやせていた。はっきりとは、彼女が美しくなったように思われなかった。だが、何かそれらしい感じがした。

沈黙の中で、まるで時限爆弾とでもいったように、シャール氏の声が響きわたった。

「ああ、あなたでしたか？」と、彼は、ばかのような微笑を浮かべながら言った。

ジャックは、神経質らしく受話器を頬に押し当てていた。そして、美しい彼女の出現にたいし、心の中の憤激を少しも見せない、とぼけたような眼差しをそそぎながら、どもりども り言っていた。

「お願いできますか……すぐに……酸素を……リヤカー……え？……もちろんバロン入りのやつ……病人が呼吸困難を訴えてるんで……」

ジゼールは、そこに釘づけにされたまま、まばたきもせずに、じっといつまでもながめていた。彼女はなんべんとなく、ふたたび彼が自分の前に姿をあらわすであろうときのこと、長い年月待ちこがれた末、自分が彼の胸に身を投げかけるときのことを考えていた。しかも現在、まさにその時がきている。自分の前、三歩ばかりのところに彼がいるのだ。だが、彼はほかの人たちのために動いていて、自分のものになってくれない……まったく路傍の人なのだ。彼女の眼差しは、ジャックの目の中の、硬い、なにか拒絶といったようなものに打ちあたった。しかも、それがはっきりわかるより先に、彼女は、自分の夢とこうもへだたった現実を前にして、これからなおも苦しまなければならないだろうことを直感した。

ジャックはいま、半分からだを起こしていた。そして、彼の声は、しっかりして、あまりにもしっかりしすぎているようだった。

「そう……酸素を三、四本……すぐに」

彼はいま、いつもよりずっと高いちょうし、ふるえをおびた、鼻にかかった、そして、わざとつくった磊落(らいらく)さをよそおって話していた。「あ、失礼、番地は……チボー。ユニヴェルシテ町四番地ロ号……いや、四番地ロ号……まっすぐ三階まであがって来てください……大いそぎ。とてもいそいでいるんですから！」

彼は、あせらずに、だがちょっとおぼつかない手つきで受話器をかけた。

ふたりとも、身を動かそうとしなかった。

「やあ」と、とうとう彼が言った。

さっと身ぶるいが感じられた。彼女は、微笑し、答えようとして、なかば唇をひらいた。だがジャックは、とつぜん現実を意識したとでもいうように、いままでのようすをがらりと変えた。

「兄きが待ってるんだ」彼は、あわただしげに部屋を横切って行きながら説明した。「シャールさんに聞いてくれたまえ……あの……おやじが窒息しかけてるんだ……たいへんなところへやって来たな」

「ええ」彼女は、からだをこわばらせながら言った。そして、自分のそばを通りぬけて行くジャックに向かって「早く、早く行ってあげて！」と、言った。

彼女の両眼には、涙があふれてきた。彼女には、なんらこれとはっきりした考え、理由のある悔恨の気持ちも感じられなかった。ぼうぜんとした、そして、ぐったりしたつらい感じ。彼女の眼差しは、控えの間の中にジャックの姿を追っていた。その歩いて行くのを見てからというもの、彼女には、彼の生きていたこと、彼の見つかったことがさらにはっきり感じられた。彼の姿が見えなくなると、彼女は神経質に手を組み合わせて、つぶやくように、

「ジャコ」と、言った。

シャール氏は、それまで、まるで一個の家具とでもいったように、なにも気がつかずにその場に立

ちあっていた。そして、ジゼールとふたりきりになったとき、彼ははじめて礼儀上からも何か言わなければなるまいと思った。

「ジゼールさん、わたし、ここにいますよ」彼は、自分の腰かけている椅子をたたきながら、いかにももっともらしく、さも打ちあけ話とでもいったように言った。ジゼールは、涙を見せまいとして顔をそむけた。彼はちょっと間をおいたあとで、ふたたび言葉をつづけた。

「始める時を待ってるんですよ」

そのいかにもないしょ話といったちょうしに、ジゼールははっと問いかえした。

「始めるって？」

老人は、眼鏡のうしろで目をしばだたいてみせた。そして慎重らしく唇をつまんでみせた。

「お祈りをですよ」

ジャックは今度という今度、まるで避難所へでも駆けつけるように、父の病室へ飛びこんだ。天井には電気がともっていた。ベッドの上にまっすぐすわらせられているチボー氏は、見ていてこわいようだった。顔はあお向いていた。口はぱっくりあいていた。まるで全部知覚を失ったとでもいうようだった。ぐっと飛び出し、くりくりしている両眼は、あけられたまま、そこになんらの生気も見られなかった。アントワーヌは、ベッドの上にかがみこんで、両腕で父をささえていた。いっぽう童貞（スール）セリーヌは、年寄りの童貞さんの渡してくれる小ぶとんで、上体をつっかおうと試みていた。

「窓をあけて」とアントワーヌは、弟を見るなり言った。

すきま風が部屋の中を吹きとおって、人事不省になった顔をなでていた。小鼻のあたりが脈を打ち出した。わずかばかりの空気が、肺臓の中にはいっていった。吸う息は、弱く、せまって、短かった。吐く息は、長く、ながく、つづいていた。そのたびごとに、ゆるいためいきが、これを最後かと思わせた。

ジャックは、アントワーヌのそばへ近づいた。そして、声を低めてささやいた。

「ジゼールが帰って来た」

アントワーヌは、からだを動かさず、ただちょっとまゆをそびやかして見せた。だが彼は、いま死に向かって試みている焦眉の戦いから、一瞬も気をそらそうと思わなかった。ちょっと注意をはずしただけで、ゆらいでいるいぶきはたちまち消えてしまうだろう。ファイトにのぞむ拳闘選手さながら、彼はいま、じっと相手にねらいをつけ、頭脳を緊張させ、すべての筋肉にいざというときの身がまえを見せて、病人から目を離さなかった。彼は、つかの間も自分が二日まえから、《死》の到来を、まるで救いとでもいうように待ちのぞんでいたことなど思いだしていなかった。彼はいま、死を打ち倒すのに懸命になっていた。彼はほとんど、こうした不安な状態におかれている命が、自分の父のそれであることさえ忘れていた。

《まもなく酸素がやってくる》と、彼は思った。《まだ五分、おそらく十分はだいじょうぶだ。酸素がとどいたらすぐに……が、なにしろからだをあけておかなければいけない。童貞セリーメもだ……》「ジャック、誰かもうひとり呼んで来てくれ……アドリエンヌ、クロティルド、どっちでもかまわない。ふたりでお父さんをささえてあげていてもらいたい」

女中部屋には誰もいなかった。ジャックは納戸に駆けつけた。ジゼールが、《おばさん》とふたりだけだった。彼は一瞬ためらった。だが、いまは猶予をゆるさなかった……

「よし、きみだ」と彼は言った。「来てもらおう」そして、《おばさん》を控えの間のほうへおし出しながら、「あなたは踊り段のところにいてください。いま酸素を持ってくるはずですから。来たらすぐ持ってこさせてください」

彼が病床にもどって来たときチボー氏は人事不省に陥っていた。顔が紫がかり、口はとほうもなく大きくひらかれていた。褐色のよだれが、唇のはしから流れていた。「早く」と、アントワーヌがささやいた。「ここへ来て……」

ジャックは、兄と場所をかわった。そして、ジゼールは、セリーヌの場所にかわった。

「舌をひっぱって」と、アントワーヌが童貞セリーヌに命じた。「布で……布で……」

ジゼールは、なかなかみごとな看護の腕まえを見せていた。彼女は、ロンドンで、ずっと講義をきいていたのだった。彼女は病人が横向きにならないようにしながら、その手首をつかんだ。そして、腕目までアントワーヌの許諾を得た後、童貞セリーヌのやっている舌をひき出す運動に合わせて、腕の運動をさせはじめた。ジャックも、もういっぽうの手首をつかんで、おなじことをやりだした。だが、チボー氏の顔は、首をしめられでもしたように充血していた。

「一、二……一、二……」と、アントワーヌはかぞえた。

戸があいた。

アドリエンヌが、酸素のバロンをひとつかかえて駆けこんできた。

アントワーヌは、それを彼女から奪い取った。そして一瞬の猶予もなく、栓をあけると、病人の口にすべりこませた。

その後の一分は、とても長く思われた。その一分がすっかりたってしまわないうち、容態は、すでに目に見えてもちなおした。少しずつ、次第次第に、呼吸が元にかえってきた。やがて、顔からも、はっきり充血が引いていった。血行が、旧に復して流れはじめた。

病人から目を離さず、しっかりかかえた酸素のバロンをひじでしずかに圧搾していたアントワーヌからの合図があったので、ジャックとジゼールとは、腕をあげさげする運動をやめた。

ジゼールは、あぶないところで助かったのだ。彼女はへとへとになっていた。身のまわりの何から何まで、ふらふらよろけて見えだしていた。病床の臭気がたまらなかった。気持ちが悪くならないようにと、彼女は、椅子の背中につかまりながらひと足あとへ引きさがった。

兄弟は、ベッドの上にうつ向きこんだままでいた。

チボー氏は、小ぶとんをつみ重ねた中に身を起こし、口を半びらきにして酸素の栓をくわえ、おだやかな顔つきでやすんでいた。こうして上半身を立たせたまま、子細に呼吸に注意していなければならない。それにしても、急変のおそれだけはなかった。

アントワーヌは、脈をとろうと、酸素のバロンを童貞（スール）セリーヌに渡し、ふとんのはしに腰をおろした。彼もとつぜん、疲労の重みをぐったり感じた。脈搏は、不整で、ゆるかった。《こうしておだやかに死なせてやれたら……》と、彼は思った。こうした希望と、呼吸困難にたいする懸命な戦いとの矛盾に、彼はまだ気がついていなかった。顔をあげると、ジゼールの眼差しにいきあった。そして微笑してみせた。彼はジゼールを、まるで道具とでもいったように、それが彼女ということを考えてもみずに使っていたのだった。ところがとつぜん、そこに彼女の姿を見ると、彼の心は喜びにおどった。彼は、その目をふたたび病人へ向けた。そして、こう思わずにはいられなかった。

《酸素のきかたがもう五分もおそかったら、すべては終わってしまっていた》

六

呼吸困難の発作は、入浴によって当然あたえられるはずの休息をチボー氏からうばいとってしまった。けいれんの発作は、あとからあとから襲ってきた。ちょっとうとうとする間に、新しい力がたくわえられたにしても、それはあとからさらに大きく苦しむためとでもいうようだった。

第一と第二の発作のあいだには、小半刻以上もの時が過ぎた。だが、内臓の苦痛と神経痛とは、ふたたびその苛烈さを回復したらしく、こうしたあいだも、病人は縦横に身を伸ばし、うめき声をたてていた。三回めの発作は第二回めのあと十五分ばかりしてやってきた。やがて発作は、強弱の差こそあれ、わずか何分という間隔で襲ってきた。

朝、やってきたあと、午後のあいだ何回となく電話をかけてきたドクトル・テリヴィエは、晩の九時ちょっとまえにふたたびやってきた。病室に足を踏み入れたときは、ちょうどチボー氏がえらい勢いであばれまわっているときだった。チボー氏をおさえている人たちの力のひるんだのをみた彼は、自分も急いで手をかした。足をつかまえようとしたが、たちまちするりとぬけてしまった。そして、彼ははげしくけあげられ、あやうく床にたおれかけた。老人に、まだこれほどな力が残っていようとは、とても考えられないことだった。

こうした興奮がすむやいなや、アントワーヌは、テリヴィエを部屋の向こうへつれていった。彼はなんとか言いたかった。事実なんとか言いさえした。(だがそれは、部屋じゅうを満たしているうめき声のため、テリヴィエの耳には聞こえなかった。) そして、唇をふるわせながら、たちまち口をつぐんでしまった。

アントワーヌは、つとめて気を落ちつけようとした。そして、テリヴィエの耳に身をかしげると、どもりどもり言った。

「ねえ……あの……あの……たしかに、もうとてもだめだぜ……」

彼は、テリヴィエを、親しみをこめた懇願の気持ちで見まもっていた。テリヴィエから、救いを期待しているとでもいうようだった。

テリヴィエは目を伏せた。

「落ちつくんだ」と、テリヴィエが言った。「落ちつくんだ……」それから、ちょっと黙っていたあとで「よく考えてみたまえ……脈は弱い。三十分まえから尿通がない。尿毒症は昂進している。発作は明らかに間欠的だ……きみのへばっていることはよくわかる。だが、もうひと息のしんぼうだ。ご臨終も遠くはあるまい」

アントワーヌは、肩をまるめ、その目はぼんやりベッドのほうをながめて、なんとも返事をしなかった。顔は、まったく表情を変えてしまっていた。彼は、まるで麻痺してでもいるようだった。《ご臨終も遠くはあるまい……》おそらくそれに相違なかろう？

アドリエンヌと年寄りの童貞さんをしたがえてジャックがはいって来た。交替の時間だった。

テリヴィエは、ジャックのほうへ歩みよった。

「今夜は泊まりましょう。兄さんをすこし休ませてあげたいから」

アントワーヌは、この言葉を聞いた。やっとこの部屋を出て、静かにしていられるだろうという誘惑——横になることができ、おそらくは眠ることができ、すべてを忘れられるだろうという誘惑、それはいかにも熾烈をきわめていて、その結果、彼はちょっとのあいだ、テリヴィエの申し出を受け入れようとさえ考えた。だが、ほとんどすぐ思いなおした。

「いや」彼は、きわめてしっかりしたちょうしで言った。「それは、ありがたいがご辞退しよう」彼には、それが、なぜとは説明できなかったが、承諾していけないことだけは深く心に感じられた。自分自身の責任とにらみあっていること。自分の運命と対しあっていること。そして相手が手をあげかけたのを見ると「もうこれ以上言わずに」と言った。「決心はできてる。今夜はまだ人かずも多いし、それにみんなだいたい元気だ。きみは、あとのための取っときになってもらおう」

テリヴィエは肩をすくめてみせた。だが、この状態は、これからさき幾日かつづくらしく思われたし、それに、いつもアントワーヌにたいして我を張らない習慣だった彼としては、けっきょくこう言わずにはいられなかった。

「よかろう。だがあしたの晩は、きみがなんと言ったって……」

アントワーヌは身動きもしなかった。あしたの晩? あしたもこうしたけいれん、こうしたわめき声を聞くことになるのか? もちろんそうありそうなことだった。ことによれば……あさっても。それもありうることだった……彼の眼差しは、弟のそれと行きあった。ジャックだけにはこの懊悩が察してもらえ、そして、いっしょに苦しんでもらえるのだ。

だが、ふたたびおこったわめき声は、新たな発作のおこったのを告げた。おのおの部署につかなければならなかった。アントワーヌは、テリヴィエの前へ手を出した。テリヴィエは、ちょっとのあいだその手を自分の両手で握りながら、《元気を出せよ》と、言おうとした。だが、彼にはそれが言えなかった。そしてなにも言わずに帰っていった。アントワーヌは、彼の立ち去るのをながめていた。自分もまた、いままで幾度か、重病人のまくらもとを離れるにあたり——その夫なる人の手を握り、微笑をつくり、母なる人の眼差しを避けたあと——背中をくるりと向けるやいなや、こうしたほっとした気持ちを味わわされた！　いまテリヴィエの帰る姿が、いかにもほっとしたようにみえたのも、まさにそうした気持ちからにほかならなかった。

十時、それまでたえまなしにつづいていた発作は、どうやら極点に達したように思われた。アントワーヌは、まわりにいる人たちのあいだに、勇気がたるみ、忍耐力がゆるみ、手当が緩慢になり、そこにすきができたように思った。いつもは、ほかの人たちが弱ってくればくるほど、彼はますます元気になった。だが、いまの彼は、その精神的抵抗力が肉体の疲労に抵抗し得ない程度に達していた。ローザンヌへの出発以来、これで四日間というもの横になっていなかった。食事もとっていなかった。わずかにきょう、つとめて少しばかりの牛乳を飲んだにすぎなかった。要するに、冷やし紅茶だけでもたせてきたのだ。彼はそれを、ときどきごくりと口に流しこんでいた。ますます深刻なものになっていく神経のいらだちは、彼にたいして何かしら精力的な見せかけをあたえていた。だが、それは見せかけだけにすぎなかった。事実としては、こうした事態が彼に求めているもの、すなわちこうした忍耐なり、期待なり、全体的な無力の気持ちによって麻痺させられている見せかけだけの元気さなどは、むしろ根本的に彼の気質と相容れないものであり、彼にたいして、堪えられぬほどの努力を要求しているものだった。それでいながら、なんとしてでもがんばらなければならなかった。そして、絶えざるたたかいに力を尽くさなければならなかった。なにしろ、たたかいは間断なく繰り返されているのだから！

　ちょうど十一時ごろ、ひとつの発作が終わろうとして、四人がともにうつ向きこみ、最後のけいれんを見まもっていたとき、アントワーヌは、さっと身を起こしたかと思うと、何やらいまいましそうな身ぶりをした。新しい、じめじめした汚点（しみ）が、シーツの上にひろがっていた。腎臓が、またもやりっぱにそのはたらきをはじめたのだ。

　ジャックは、腹だたしい身ぶりを禁じ得ないで父の腕をはなした。こいつはあんまりひどすぎる。つまり、中毒の結果、臨終が近いと思えばこそ、こうして立っていられたのだ。ところがどうだ？何が何やらけんとうがつかない。この二日以来、まるで目の前で《死》がたんねんにわなを張ってでもいるようだった。そして、ぜんまいは、やっと巻かれはじめたと思うたびに、ぱらりと留め金からはずれてしまう。そして、新規蒔き直しというわけだった。

　このとき以来、彼はもう落胆を隠そうとしなかった。けいれんとけいれんとのあいだ、彼はぐったりして、気むずかしくなって、手近な椅子の上に、へたへたと腰をおろしていた。そして、ひじをひざにつき、こぶしを目にあてがったまま、三分ほどもとろとろした。そんなわけで、発作がおこるたびに、彼に呼びかけ、その肩をつつき、目をさまさせてやらなければならなかった。

夜半近くになるやいなや、病状はまったく危険状態を呈してきた。たたかいは、もうこれ以上不可能のように思われた。

きわめてはげしい三回にわたる発作が次から次へとおこってまもなく、四回めの発作があらわれた。それは、おそろしい様相をしめしていた。いままで見なれたあらゆる現象の、そのはげしさを十倍にしたようなものだった。呼吸がとまった。顔は、充血した。目は、半分眼窩から飛び出していた。前腕は引きつれ、折れこんで、そのため手がかくれたようになっていた。そして、あごひげのかげには、両の手首が折れ曲がり、まるで切株のように見えていた。四肢は、引きつれようとしてふるえていた。筋肉はこわばって、こうした努力のため、いまにもはりさけそうに見えていた。硬直の時期がこんなに長くつづいたことははじめてだった。刻一刻、時がたった。だが、はげしさはなかなかおさまらなかった。だんだん、顔が黒ずんでいった。アントワーヌは、てっきり死がやってきたと考えた。

つづいて、唇のあいだからはあえぎがもれ、よだれがすこしあわをたてた。急に両腕がぐったりゆるんだ。今度は身ぶりがはじまった。

それはやがて、ものすごいほどのはげしさを加えて、そうした狂乱をおさえるため、狂人服でも着せなければとさえ思わせた。兄弟ふたりは、年寄りの童貞さん、アドリエンヌのふたりにもてつだってもらって、荒れ狂う病人の手足にしがみついた。ふりまわされ、引きずられて、みんなはよろけながら、まるでフットボールのスクラムさながら、たがいにぶつかりあっていた。まず第一に、アドリエンヌが、持っていた足をはなしてしまった。すると、二度とそれがつかめなかった。年寄りの童貞さんは、ふりまわされてあわやひっくりかえりかけ、からだの重心を失ってしまった。そのとたん、いっぽうの足がするりと手の中から抜けた。両足は、いま自由になり、ばたばた空にもがきはじめた。かかとはすりむけて、ベッドの木を血に染めていた。アントワーヌとジャックとは、息を切らし、汗みどろになりながら、この大きな肉体が、ときおりぐっと飛びあがり、夜具の外に投げ出されないよう、からだをよせて固めていた。

こうした狂おしい興奮が消え（それは、はじめのときとおなじく、とつぜんけろりとやんでしまうのだった）、病人がふたたびベッドのまんなかに寝かされたとき、アントワーヌはいく足かうしろへさがった。神経は緊張し、歯はがちがち鳴っていた。寒そうに暖炉のそばに歩みよった彼は、ふと目をあげて鏡の中、炎に照らされた青ざめた顔、乱れた髪、けわしい眼差しを見た。彼はくるりと身をひるがえし、安楽椅子にくずれるように身を落とし、ひたいを両手でしっかりかかえながら、そのままはげしくすすり泣いた。ああ、もうこれ以上なんとしてもたまらなかった……身うちに残っているわずかばかりの反発力も、いまはただ《早くすんで！》という狂おしい希望ひとつに集中されていた。手をこまねいたまま、あとひと晩、そしてまたあした、さらにあさって、こうした地獄絵をみせられなければならないというなら、むしろすすんでどんなことでも！

ジャックがそばへよって来ていた。これがもしほかのときだったら、おそらく彼は兄の胸に身を投げかけたにちがいなかった。だが、彼の感覚は、その精力とおなじ程度に弱っていた。そして、こうして疲れきっているところを見せられると、それは彼の精力をひき立たせるかわりに、かえってそれを萎靡させてしまった。彼は、身じろぎもせず、驚いたようすで、この疲れきり、涙にぬれ、渋面をつくっている兄の顔をながめていた。彼はたちまち、そこに過去の顔、彼がいままで知らなかったひとりの子供の、涙にぬれた顔を発見した。

やがて、ひとつの考えが心に浮かんだ。それは、これまでにもいく度か思い浮かんだものだった。

「それにしても兄さん……誰かに対診をたのんでみたら?」

アントワーヌは肩をすくめて見せた。何か解決できないことでもあれば、もちろん自分として、すすんで同僚の誰かに来てもらうことぐらい考えそうなものじゃないか? 彼は、二言三言、何か荒っぽい返事をした。だが、それはジャックに聞きとれなかった。苦痛のわめきが、ふたたびはじまっていたから。それによって、次の発作までまのないことがうかがわれた。

ジャックはいらだった。

「だって兄さん、なんとか考えてくれないか!」と、彼はさけんだ。「何も打つ手がないなんて、まったく考えられないことなんだ!」

アントワーヌは、歯をくいしばっていた。目はかわいていた。彼は、顔をあげ、狂暴なようすでじっと弟を見つめてから、つぶやくように言った。

「ある。やっていい方法がひとつある」

ジャックにもそれがわかった。彼は、目も伏せず、身じろぎひとつしなかった。

アントワーヌは、目つきで何か問いかけてきた。そして、口ごもりながら言った。

「きみは、いつかそのことを考えたことはなかったか？」

ジャックは、きわめてかんたんに、そうだといったようすをした。彼は兄を、そのひとみのずっと奥まで見つめていた。そしてちらと心に浮かんだのは、いまといういま、ふたりがきっと似ているにちがいないということだった。まゆげのあいだのしわといい、絶望と果敢との表情といい、《なんでもやってのける》面だましいといい。

ふたりは、暖炉のそば、陰のところにいた。アントワーヌは腰をかけ、ジャックは立ったままだった。あまりにわめき声がはげしいので、病床近くにうずくまり、疲労に打ち倒されたようになっていた女たちには、何も聞きとれないでいた。

ちょっとまをおいたあとで、ふたたびアントワーヌが口をきった。

「やってみるつもりか？」

荒っぽい、率直なたずねかた。だが声のうちには、それとわからないほどな弱さがあった。ジャックは、今度は目をそらした。だが、とうとう最後に、あいまいなようすでこう答えた。

「さあ、ぼくには……やっぱりできないだろうな」

「このおれにはできるんだ！」と、すぐにアントワーヌが言いきった。

彼は、とつぜん立ちあがった。だが、身動きもせずに立っていた。彼は、ジャックに向かって、何かしらためらうような手まねをし、からだをかしげながらこう言った。

「不賛成か？」

ジャックは、しずかに、躊躇せずにそれに答えた。

「いや」

ふたりは、あらためて、顔と顔とを見かわした。家に帰って以来、ふたりははじめて、何かしら喜びに似た感情を経験した。

アントワーヌは、暖炉のそばへ歩みよった。そして、腕をひろげ、大理石のマントル・ピースをしっかりつかみながら、背をかがめ、じっと炎にながめいっていた。

決心はついた。残るは実行ばかりだった。いつやるか？　その方法は？　ジャック以外、誰もいないときでなければ。やがて十二時。一時になると、童貞（スール）セリーヌとレオンの組がやって来よう。どうしても、一時までにすまさなくては。ことはきわめてかんたんだ。まず刺絡（しらく）によって衰弱をおこさせ、うとうと眠りをもよおさせる。そして、年寄りの童貞とアドリエンヌを、交替時間のくるまえに休みに行かせる。そしてジャックとふたりきりになったとき……彼は、胸をさぐって、ポケットに入れておいた小さなモルヒネのびんを指先に感じた。それは……それはいつからなのか？　彼が家に帰ったその日の朝、入れておいたものなのだった。そうだった。テリヴィエといっしょに、ローダノムを取りに下の部屋まで行ったとき、まったくぐうぜん、飽和液と……それにこの注射器とを入れておいたのだった。ぐうぜんに？……なぜだろう？　まるですべてが、ちゃんと頭の中に組み立てられていて、あとはただ、まえまえからの計画どおり、実行しさえすればいいというようだった。

だが、いままた新しい発作がおこりかけていた。それがすむまで待たなければならなかった。ジャックは、かいがいしく、自分の持ち場についていた。《最後の発作だ》と、アントワーヌは、ベッドに歩みよりながら思った。そして、自分をみつめているジャックの目の中にも、おなじ思いが見てとれたように思った。

さいわいにして、硬直時間は、まえのときほど長くなかった。だが、けいれんは、まえにおとらず激烈をきわめた。

病人が、あわを吹いてあばれているとき、アントワーヌは、看護の童貞さんに向かって言った。「刺賂(しらく)をしたらおさまるでしょう。少し落ちついたら、道具かばんを持ってきてください」

結果は、ほとんどてきめんだった。血を取られたチボー氏は、その衰えから、どうやら眠ろうとするらしかった。

ふたりの女も、疲れきっていたので、しいて交替時間まで待とうと言わなかった。アントワーヌからひとことといわれたのをきっかけに、少し休息をとろうと出ていった。

いま、アントワーヌとジャックとはふたりだけだった。

ふたりは、ともにベッドからずっと離れて立っていた。アントワーヌは、アドリエンヌがなかばあけはなしにして出ていったドアをしめに行った。そしてジャックは、なんということなしに、暖炉のそばのところまですさっていた。

アントワーヌは、弟の目をさけていた。彼にはいま、自分の身のまわりになんら愛情の必要がなかった。そして、仲間が必要とも思わなかった。

彼は、ポケットの底で、小さなニッケルの箱をいじくっていた。彼はなお、二秒ばかり考えた。それは何も、もう一度事の得失を考えてみようと思ってのことではなかった。彼は主義として、いったんやろうと思ったことを、その場におよんで考えなおしたりしなかった。だが、遠くのほう、まっ白なベッドの上に、病気のため、日ましに親しんできた顔をながめたとき、彼は一瞬、これを最後のいとしい気持ちに心をうたれた。

二秒ばかりの時が過ぎた。

《発作のおこっているあいだだったら、これほどつらくも思われまいが》彼は、急ぎ足に前へ出ながら思った。

彼は、ポケットからびんを出し、それをよく振り、注射器に針をさした後、何かを目でさがすかのように、ちょっとのあいだ手をとめた。そして、たちまち肩をすくめた。プラチナ針を消毒するため、機械的に、アルコール・ランプをさがしていたのだ……

ジャックには何も見えなかった。ベッドは、兄のかがめた背中のかげにかくれていた。けっきょくそのほうがよかったのだ。だが彼は、一歩からだを横に動かす決心をした。父は眠っているらしかった。アントワーヌは、そでロのボタンをはずし、それをぐっとまくりあげた。

《刺胳(しらく)は左の腕だったな》と、彼は思った。《注射は右にやることにしよう》

彼は、肉をちょっとつまむと、注射器をあげた。

ジャックは、口にしっかり手を押しあてた。

針は、ぷすりと肉にささった。

寝ている人の口から、うめきがもれた。肩がふるえた。しんとした中に、アントワーヌの声が聞こえた。

「じっとしてお父さん、楽にしてあげますから……」

《話をするのもこれが最後だ》と、ジャックは思った。

ガラスの注射器の中の薬液は、急にはへっていかなかった……もしも誰かがはいってきたら……もうおしまいか？　そうではなかった。アントワーヌは、針をそのまま刺しておいた。そして、注射器だけをそっとはずすと、それにも一度薬液を満たした。だんだん薬のへりかたがゆるくなった……もしも誰かがはいってきたら……まだ一ツェー・ツェー……なんというまどろこしさ！……あと数滴……


さっとアントワーヌが、針を抜いた。そして、ばら色の真珠の玉が吹き出しているふくれた跡をふいてしまうと、シャツのボタンをかけ、またもとどおりにかいまきをかけた。もしも自分がひとりだったら、こうした青ざめたひたいの上に身をかがめこんだにちがいなかった。この二十年来、父に接吻したいと思ったことは、きょうこのときがはじめてだった……彼は身を起こし、ひと足うしろへさがり、注射器をポケットにすべりこませ、さてすべてがきちんとしているかどうか、わが身のまわりを見まわした。やがて彼は、弟のほうへ顔を向けた。その平然とした、けわしい目は、

《これですんだ》

といってでもいるようだった。

ジャックのほうでは、兄に近づき、その手をとり、しっかりだきしめて自分の気持ちを通じたかった……だが、アントワーヌは、すでに向こうを向いてしまっていた。そして、童貞セリーヌの低い椅子を引きよせて、病人のまくらもとに腰をおろしていた。

病人の腕が、かいまきの上に伸びた。その手は、ほとんどシーツとおなじほど白かった。そして、それとわずかにわかるほどふるえていた。磁石の針といったほどのふるえだった。だが、薬はしだいにきいてきていた。そして、長いこれまでの苦しみにもかかわらず、顔だちは、すでにゆるみはじめていた。そうした《死》をともなった麻痺のなかには、回復をもたらす眠りのやさしさといったようなものさえうかがわれた。

アントワーヌは、何ひとつ明確なことを考えることができなかった。彼は、手で脈をはかってみた。脈は、速く、そして弱かった。彼は、機械的に脈を数えることに注意をあつめた。四十六、四十七、四十八……

ついいましがた自分によってなされたことの意識が、しだいしだいにかすんでゆき、世間という観念がだんだんおぼろになってゆく……五十九、六十、六十一……手首を握った指がゆるむ。どうでもなれといった気持ち。無神経への快い転落。忘却の波が、すべてをすっかり沈めてしまう。

ジャックは、兄の目をさますのをおそれて、椅子に腰をおろす気になれずにいた。立ったまま、からだはすっかり疲労でしびれ、目は病人の唇からはなれなかった。唇からは、刻々生色が失われていっていた。いまは呼吸が、かすかにそこをかすめているにすぎなかった。

ジャックは、こわくなって、思いきって身を動かした。

アントワーヌははっと驚いて飛びあがった。そして、ベッドや父に気がつくと、ふたたびしずかに手首を握った。セリーヌさんを呼んでくれと、彼は、しばらく黙っていたあとで言った。

ジャックが、童貞（スール）セリーヌとクロティルドとをつれてもどって来たとき、病人の呼吸は、いくらか力とちょうしとをとりもどしていた。だが、そこには異様な、のどのごろごろいう音がまじっていた。

アントワーヌは、腕組みしながら立っていた。彼は、天井の電気をつけておいた。

「脈はほとんどわからない」童貞セリーヌがそばへ来るなり、彼は言った。

その、童貞セリーヌは、いつもお医者さまには、いざというときのことがわからない、それには何より経験第一、とそうしたことを言い言いしていた。彼女はなんとも答えなかった。そして、自分も低い椅子に腰をおろし、脈をとってから、長いことじっと病人の顔を見まもっていた。それから部屋の奥のほうを向くと、やはりそうだったといったような合図をした。クロティルドは、すぐに部屋を出て行った。

あえぎはますますはげしくなり、聞いているのもつらかった。アントワーヌは、ジャックの顔が不安にゆがんでいるのを見た。彼は、弟のそばへ行き《こわくはない。もう何もわかってはいないんだから》と、言おうとした。だが、ちょうどそのとき、ドアがあいた。なにやらささやく声が聞こえた。《おばさん》が、ごつごつしたからだをカミゾル（婦人の服）に包んで、クロティルドの腕にすがってあらわれた。ふたりのあとにはアドリエンヌがつづいていた。そしてしんがりは、つまさき立ったシャール氏だった。

アントワーヌは、いらいらして、みんなに外にいるように合図をした。だが、四人は、すでにドアのそばにひざまずいていた。そしてとつぜん、《おばさん》の金切り声が、しんとした中に響きわたり、病人のあえぎの声を消してしまった。

「おお、よきイエズスよ……われきみがおん前に……きずつきし心をもちて参ぜんとす……」

ジャックは、身ぶるいして、兄のほうへはせよった。

「やめさせてください！　ねえ」

だが、アントワーヌの沈鬱な目を見ると、彼はぴたりと落ちついた。

「ほうっとくんだ」と、つぶやくようにアントワーヌが言った。そして、ジャックのほうへ身をかしげて、「もうほとんどおしまいだ。何も聞こえてはいないんだ」と言った。彼にはいま、かつてチボー氏が《おばさん》に、臨終のまくらべで《臨終のときの連禱》をとなえてくれとおごそかにたのんだときのことが思いだされた。そして、しんみりさせられた。

童貞さんたちふたりも、ともにベッドの両側にひざまずいていた。童貞（スール）セリーヌは、その手を病人の手首にのせていた。

「……冷たく、血の気なく、うちふるうわが唇にして……これを最後にきみが尊き御名を呼び奉るとき、あわれみぶかきイエズス、何とぞわれをあわれませたまえ！」

(二十年にわたる服従と犠牲の生活の後、その身に残っていたわずかの意思は、今夜緊張をしめして、彼女にその約束を果たさせているのだった。)

「わが青白く、くぼみたる頬にして、いならぶ人の同情と恐れのこころをさそうとき、あわれみぶかき主よ、何とぞわれをあわれませたまえ……臨終の汗にぬれたるわが髪の……」

アントワーヌとジャックとは、父から目をはなさなかった。あごがひらいた。まぶたがだらりと、じっと動かない眼差しをみせながらなかばひらいた。臨終だろうか？　手首を握った童貞(スール)セリーヌは、じっと顔をみつめながら、なんの身ぶりもしなかった。機械的な、穴のあいたアコーディオンのように、息切れのする《おばさん》の声が、なんの容赦もあらばこそ、たばしるように響きわたった。

「亡霊にさいなまるるわが思いにして、死の苦しみの悩みの中にわれを沈めんとき、あわれみぶかきイエズスよ、何とぞわれをあわれませたまえ！　わがよわき心にして……」

口は、ますます大きくあいていった。金歯がひとつきらりと光った。ほんのわずかの時が流れる。童貞セリーヌは動かなかった。やがて彼女は、病人の手首をはなし、アントワーヌのほうへ顔をあげた。口は、ひらいたままだった。すぐにアントワーヌはこごみこんだ。すでに心臓の鼓動が聞こえなかった。彼はいま、動かなくなったひたいの上に手のひらをのせた。そしてしずかに、親指の腹で、いまはされるがままになっているまぶたを片方ずつとじた。彼は、こうしてやさしくおさえていてやることによって、死者を安息の門に導くとでもいったように、そのまま手をひっこめなかった。そして、童貞セリーヌのほうを向きなおると、高すぎるほどの声で言った。

「ハンケチを……」

女中ふたりが、わっとばかりに泣きだした。

ひざまずいたシャール氏のそばには、《おばさん》が、白いカミゾルの上、ねずみのしっぽのように髪をたらしてうずくまり、いましがたおこったことにも無関心なようすで、その愁嘆をつづけていた。

「わが霊にして、唇の端よりして、永遠にこの世よりのがれんとき……」

彼女を立ちあがらせ、からだをささえてやりながら、つれて行かせなければならなかった。彼女は、部屋に背中を向けたとき、はじめてすべてがわかったらしく、急に子供らしいすすり泣きをはじめた。シャール氏も泣いていた。彼は、ジャックの腕にぶらさがり、瀬戸人形のように首をふりふりくどいていた。

「こんなことってあるもんですか……」

《ジゼールはどこにいるのだろう?》と、アントワーヌは、みんなを外へおし出しながら、心のうちで考えた。

彼は、自分も部屋を出て行きながら、最後の一瞥をあたえようとしてふり返った。

長い何週間かの後、沈黙が、ふたたび部屋を領していた。

まくらの上に起こされ、急に大きくなり、あかあかと光を浴びたチボー氏は、その頭の上に、あごくくりの包帯のおかしな両端の結びめをまるで角のように立てながら、伝説の人物とでもいったような、何か神秘な、お芝居めいた風貌をしめしていた。

七

べつに言いあわせたというでもなく、アントワーヌとジャックとは、踊り場のところでいっしょになった。いま、家じゅうは眠っていた。ふたりのたてる足音は、階段の敷物に消されていた。無言のまま、何も考えず、心も軽く、身うちをおかす動物的な安息によってまかせながら、ふたりはあと先に並んで階段をおりた。

階下では、先におりたレオンが、電気をともし、気をきかせて、アントワーヌの書斎に冷たいもので夜食の準備をしておいて、自分はこっそりひきさがっていた。

天井からの光の下、この小さな食卓、純白なテーブル・クロース、そこにならんだ二人まえの食事、そうしたものは、さもとつぜん思いついての祝宴とでもいうようだった。ふたりは、それに気がつかないでいたかった。腹のへっていることも気恥ずかしく、ふたりはうれい顔をよそおって、何も言わずに食卓についた。白ぶどう酒は冷えていた。パン、冷肉、バター、それらすべては、見るみるうちに平らげられた。と、ぐうぜん、ふたりは同時にチーズの皿に手を出した。

「取れよ」

「ううん、お先へ」

アントワーヌは、グリュイエール（チーズの一種）の残っていたのをふたつに分けた。そして、ジャックのぶんも取ってやった。そうしたあとで、

「あぶらがのっていて、なかなかうまいぞ」と、言いわけでもするようにつぶやいた。

ふたりのとりかわした、これが最初の言葉だった。ふたりの目と目がぴったりあった。

「で？」と、チボー氏の住まいのほうを指しながらジャックがたずねた。

「いや」と、アントワーヌがこれに答えた。「もう寝よう。あしたでなければ、上には何も用事がないんだ」

ジャックの部屋の戸口で別れるとき、ジャックは、急に考えこむと、声を低めてこう言った。

「兄さん、見た？　あのおしまいのとき、口がだんだんひらいたとき……」

ふたりは、黙って顔を見あった。そして、ふたりとも、その目は涙でいっぱいだった。

朝六時、アントワーヌは、すでにだいたい休息もとれ、ひげもちゃんとそったあとで、三階の住ま

いへあがっていった。

《通知状のあて名書きには、シャール氏がうってつけだ》彼は、足のしびれをとるために、歩いて階段をあがって行きながら考えた。《区役所の届け出は九時まではだめだ、と。……ところで、知らせる人たちは?……いいあんばいに親類が少ない。ジャヌルー一家に、母方のぶんを引きうけさせよう。あとは、カジミルおばさんにすっかりたのむ、と。ルアンのいとこに電報を打つこと。友人たちのためには、あしたの新聞に死亡広告。デュプレおやじとジャンとに通知。ダニエル・ドゥ・フォンタナンは、リュネヴィルにいるから、今夜自分で手紙を書こう。その母親と妹は南仏へ行ってる。これでだいぶ手数がはぶける……それに、ジャックは葬式に出るだろうか?……財務委員会のほうへは、レオンに電話をかけさせよう。リストを作ってやらなければ。そして、おれは病院へ顔を出して……フィリップ先生……おお、学士院を忘れないこと!》

「葬儀会社のかたがもうふたりも見えました」と、アドリエンヌが言った。「七時にまた見えるということでした……それに」と、彼女はちょっと当惑したらしいようすで言った。「あの、ジゼールさんのお悪いのをご存じでしょうか?」

ふたりは、ジゼールの部屋へ行って戸をたたいた。

ジゼールは、横になっていた。目は熱っぽく、頬骨のあたりはあかかった。だが、べつにたいしたこともなかった。ちょっとからだのぐあいのわるかったところへ、クロティルドからの電報、これが第一のショックだった。それにつづくあわただしい旅行。そして、とりわけジャックに会ったりしたことが、彼女の心を転倒させ、うら若い身にはげしい変化をひきおこさせ、ゆうべ病人のまくらもとをはなれた後、きわめてはげしい発作をおこさせ、とうとう床につかせたのだ。そうして彼女は、昨夜よっぴて、何か物音がすると耳をすまし、何がおこっているかわかっていながら、起きあがるだけの気力もなく、苦しい一夜を明かしてしまった。

言葉少ない彼女の答えに、アントワーヌは、しいてたずねようとしなかった。

「けさテリヴィエが来るからね。そうしたら見せによこそう」

ジゼールは、顔でチボー氏の部屋のほうをしめした。

「では……もう……おしまい?」彼女はおそるおそる口に出した。

彼は、答えるかわりに首をさげた。そしてとつぜん《おれがやったんだ》と、はっきり思った。たいして悲しくも思っていなかった彼女には、なんと言っていいかわからなかった。

「とにかくそれまで、湯たんぽに罨法だ」と、彼は、アドリエンヌに言いつけた。そして、ジゼールのほうへ微笑してみせながら、そのまま部屋を出て行った。

《おれがやったんだ》と、彼は心にくり返した。彼にはいま、自分の行為が、はじめて適当な距離をもって考えられた。《いいことをした》と、彼はすぐに思った。彼は、たちまち、そして、はっきり反省した。《いや、だまされてはならないぞ。そこには怯懦の精神もまじっていた。すなわち、あの悪夢からのがれたいという肉体的な欲求だ。だが、たとい、自分自身そうすることに個人的利益があったにしても、あれをしないでよかったろうか? じょうだんじゃない》彼は、少しもおそろしい責任を回避していなかった。《もちろん、すべての医者に許しては危険にちがいない……ひとつの掟を盲目的にまもることは、たといその掟が、ばかげたものであり、非人間的なものであったにしても、それは原始的に必要なんだ……》掟にたいし、それの持つ力と正当性とを認めれば認めるほど、それを意識して破ったことをさらに是認する気持ちになっていた。《良心の問題、認定の問題》と、彼はそのまま考えつづけた。《一般的に言うのじゃない。おれは単にこう言うばかりだ。いまのばあい、おれはなすべきようになしたのだ》と。

彼はいま、死者の部屋の前に立っていた。彼は、病人の目をさまさないためのいつもの習慣から、気をつけてドアをあけた。そして、死者の姿を認めたとき、はっと胸をつかれた。毎日見なれた死体の観念、それをこうして父の姿に結びつけること、そこには何か新しい、とともに、戸まどいさせるようなものがあった。彼は、息をころしてドアのところに立っていた。この動かないひとつのもの……これが自分の父だとは……両腕はなかば伸ばされ、手はしずかに組まれている。気高いすがた、なんとも言えないおだやかなすがた！　このおごそかなものを中心として、あたりのものはすっかりとりのけられていた。椅子はぜんぶ壁にそって並べられていた。ふたりの童貞は、うとうとしながら、まるで黒衣の寓意像とでもいったように、死者をかこんでひざまずいていた。そして、遺骸のじっと動かないことが、この場の空気に、まぎれもない荘重さといったような感じをあたえていた。オスカール・チボー……あれほどな威勢、あれほどな矜持(きんじ)が、こうもおとなしい無力なものになろうとは……

アントワーヌには、ちょっとでもからだを動かすこと、この静けさをかきみだすことがためらわれた。彼は、そのとき、この静けさにしたところで、それは自分のつくり出したものであることを心の中にくり返した。そして、沈黙とやすらぎとをあたえてやれたこの顔、この見なれた顔を打ちかえしながめながら、口もとに微笑らしいものさえ浮かべていた。

部屋にはいった彼は、まだ寝ているとばかり思っていたジャックが、シャール氏のうしろに腰かけているのを見つけておどろいた。

シャール氏は、アントワーヌの姿を見るなり、椅子から飛び立って歩みよって来た。見ればその目は、涙にくもった眼鏡のうしろできらめいていた。彼は、アントワーヌの両手をつかんだ。そして、死者にたいし、これ以上どう愛情をしめしていいかわからぬままに、「ほんとに……ほんとに……なんとも言えないほど、いいかたでいらっしゃいました……」と、鼻声で、しかもそう言うたびに、あごでベッドのほうをしめしながら、ためいきをつくように言っていた。

「なにしろ、このかたというものを知ってあげなければ」彼は低く、さも目に見えない反対者にその確信を傷つけられたのをおこるとでもいうように言葉をつづけた。「なるほど、ときどきはすこし傍若無人なところもおありでした。……だが、じつに正しいおかたでした……」彼は、誓言でもするかのように手をさし伸べた。「ほんとの意味での裁断者でいらっしゃいました！」彼は、自分の席にもどりながら、こう自分の言葉をむすんだ。

アントワーヌも腰をおろした。

部屋の臭気は、彼の心の中に、つみ重なったたくさんの思い出をかきたてていた。味けない、薬局を思わせるきのうまでのにおい、真新しいろうそくのにおいの中に、彼はチボー家の遠い祖先から伝わった、青い、ほこりやけしたレプス織の壁掛けの、古いにおいをかぎ分けた。からりとした、毛のもののにおい、それには、五十年にわたるマホガニー家具の蠟のにおいが、ほんのりあぶらのにおいをまじえていた。彼は、鏡のついた衣装簞笥をあけると、そこからどんなにさわやかな、清潔な下着類のにおいが出るであろうかもわかっていた。また、簞笥の引き出しをあけると、あの執拗な樟脳のにおいとともに、ニス塗りの木のにおい、古新聞のにおいが、どんなにはっきりにおってくるだろうかもわかっていた。それに彼は、子供時代、それを近くからかいだことがあるので――ちょうどそのころ、それは彼に届くたったひとつの腰掛けだった――つづれ織のひざつき台(祈禱の際、ひざをつくための台)のほこりだらけなにおいにも記憶があった。それは、二代にわたる人々のひざにこすられ、中の麻布が見えるほどすりきれていた。

なんの物音も聞かれなかった。ろうそくの炎をゆるがすほんのわずかのそよぎさえなかった。

ここにはいって来たすべての人たちとおなじように、アントワーヌも、何かしらぼうぜんとした気持ちで、じっと目を据えて父の遺骸をながめていた。疲れきった頭の中には、いまやいろいろな考えの芽が、しだいに根をおろそうとするけはいをしめしていた。

《おやじをして、このおれとおなじように生かしていたところのもの、ついきのうまで、おやじのなかにあったあの生命？……あれはいったいどうなったのだ？……なくなってしまいでもしたのだろうか？　ほかのところに残っているとでもいうのだろうか？　それならそれで、どうした形で？》わからなくなってきた彼は、考えるのをやめた。《おれとしたことが、とんだばかなことを考えかけていた！　しかも、死んだ者を見るのは、なにもこれがはじめてではないのに……《虚無》というくらい、あたらない言葉のないことはわかっている。なにしろこれは、《生の堆積》というべきだから。《無限にわたる発芽》なのだから！

そうだ……おれはこのことを、いく度となく口にした。だが、いま遺骸を前にして、おれにはすっかりわからなくなっている……《虚無》という考えが、いやおうなしにせまってくる。それがほとんど、正しいもののようにさえ思われてくる……けっきょくのところ、死だけが厳として存在する。それは、あらゆるものに反対し、あらゆるものを乗り越える……傍若無人に！

《いや、いけない！》と、彼は肩をゆすりながらあとをつづけた。《それはちがう……それは、こうしたばあい、こうした場面にのぞんでの思いつきにすぎないんだ……そんなものは問題にならない！ぜったい問題になりはしない！》

彼は、気をとりなおそうとふんばった。そして決然、腰に力をいれて立ちあがった。するとたちまち、なつかしい、せまるような、燃えあがるような感動が彼をつかんだ。

彼は、弟について来るように合図をしながら、廊下へ出た。

「事をきめるまえに、まずお父さんの考えを知っておく必要がある。おれといっしょに来てもらおう」

ふたりはともに、チボー氏の書斎へはいっていった。アントワーヌは、天井の電気をつけた。つづいて壁の電気まですっかりつけた。いままで、かつて緑いろのかさのあるスタンドだけに照らされていた部屋の中には、たちまち、おそれげもなく煌々とした光があふれた。アントワーヌは、デスクのそばへ歩みよった。しんとした中に、ポケットからとり出す鍵輪の音が、陽気なひびきをたてて鳴りわたった。

ジャックは、離れたところに立っていた。ふと気がつくと、自分はいま、あの電話の台のそばにいた。そここそは、まさにゆうべ……、ゆうべ？　そうだ——ジゼールの姿がドアの内側にあらわれてから、わずか十五時間しかたっていない……

彼はいま、かつて長いこと、このうえなく神聖な聖地としてながめていたこの部屋、そしていま、何ひとつ自分たちの闖入をふせごうとするもののないこの部屋の中を、敵意のこもった眼差しでながめまわした。あけられたひき出しの前に、まるで強盗のようにうずくまっている兄を見た彼は、なんだかいたたまれない気持ちだった。父の意思、それにこうした書類など、自分になんの交渉があるのだ？　彼は、黙って、部屋を出た。

彼はまた、死者の部屋のほうへもどっていった。彼はその部屋に、何かしら郷愁をおびた魅力を感じていた。そここそは生命と夢とのあいだで、彼がきわめてしずかに昨夜の大部分をすごしたところだった。彼はやがて、自分が心ない人たちの出入りによって追いたてられるであろうことを推察した。彼は、自分の青春と胸をおどらして対面している、その一刻をもむだにしたくないと思った。彼にとって、いつも自分のゆくてに横たわり、そしていま、こつぜんとして非現実の世界に難破し去ったこのぜったい専制の人のなきがらほど、痛切に、過去を思いださせるものはなかった。

しずかに、つまさき立って歩きながら、彼は部屋のドアをあけ、中にはいって腰をおろした。沈黙は、一瞬かきたてられたように見えはしたが、ふたたびもとの静寂にかえった。そしてジャックは、いい気持ちになって、ふたたび《死》の観照にふけりこむことができた。

不動。

この脳髄——およそ四分の三世紀のあいだ、夜となく昼となく、たえず思想や観念を結びあわせて倦まなかったこの脳髄、それがいま、永久にとざされてしまっている。それに心臓も。だが、とりわけ思考力の停止ということこそ、いく度となくおのが頭脳の不断の活動を嘆いていたジャックにとって、心うたれるものだった！ （夜、睡眠によって運転をとめられたはずでいてさえ、彼には、脳髄がまるで気の狂ったモーターのように、たえず頭の中でまわりつづけ、たえず万華鏡（セレイドスコープ）のように支離滅裂な幻想を集めていることが感じられた。そうした幻想の片鱗が、たまたま記憶に残っているとき、彼はそれを《夢》と呼んだ。）いつかは、そうした苦しみも、運よくぴたりとやんでくれよう。いつかは自分も、思考の苦しみからのがれることができるだろう。ついに沈黙がきてくれよう。そして、その沈黙のなかには安息が！……彼は、悩ましい自殺の誘惑を、夜一夜、胸にだいて歩きまわっていたミュンヘンの町の河岸(かし)のことを思いだした……と、彼の心の中で、ひとつの言葉が、音楽的な記憶とでもいったように歌いだした。《いまに休めるときが来るんですわ……》それは、ジュネーヴで見た、ロシア芝居の幕切れだった。彼の耳には、そのときの女優——子供のような顔だち、あどけない、熱っぽい目をしたロシア人の女優が、そのかわいらしい首を振り、《いまに休めるときが来るんですわ》と、くりかえしたときの声が、いまもありあり残っていた。夢でも見ているようなそのちょうし、調和音のようにながながと尾をひいたその音声、それにともなう疲れたような眼差し、そこにはたしかに、希望の色というより、あきらめの影のほうが深かった。《あなたは一生、喜びというものをご存じなかったのね……でも、ワーニャおじさん、もう少しよ、ねえ、もう少しのしんぼうよ……休めるときが来るんですわ……いまに、休めるときが来るんですわ……》（チェーホフ『ワーニャ伯父さん』の幕切れに言われるソーニャのせりふ）

八

午前も終わりに近づくころから、すでに弔問客が来はじめた。おなじ家に住む人たち、またチボー氏がいろいろ尽くしてやったおなじ町じゅうの人たちだった。ジャックは、親戚の人たちが来はじめるまえに姿を消していた。アントワーヌもまた、さしせまった往診の必要から、席をはずした。チボー氏が関係していたおのおの事業には、その委員たちの中に、個人的な友人もいた。弔問の人の列は夕方までもつづいていた。

シャール氏は、死者の部屋に《補助椅子》と彼が呼んでいる椅子——その上で彼が何年となく働きつづけた椅子をはこんできていた。そして日がな一日、《おなくなりになったかた》のそはを離れようとしなかった。しまいには、しょくだいとか、つげの枝とか、お祈りしている童貞さんたちとおなじように、彼もまた、おごそかな棺前風景の一部をなすにいたっていた。弔問客が見えるごとに、彼は椅子からすべりおりた。そして、客に向かって悲しそうにあいさつしてから、またもや椅子にあがるのだった。

《おばさん》は、いく度となく彼を部屋から出て行かせようとした、もちろんそれはやきもちからのことだった。彼がいかにも忠実そうに、いかにも殊勝げにしているのを見ると、彼女はむらむらせずにはいられなかった。彼と反対に、彼女のほうは、いつもじっとしていなかった。彼女は苦しんでいた。（たしかに、家じゅうで、苦しんでいるのは彼女をおいてほかになかった。）他家で暮らした一生を通じ、自分のものといっては何ひとつなかった彼女にとって、おそらく生まれてはじめて、所有という狂暴な感情がわかったのだ。すなわち、チボー氏こそ、彼女の《死んだ人》なのだった。彼女は、たえずベッドのそばへよっていった。それでいて、腰が曲がっている彼女には、その全部を見ることはできなかった。彼女は、シーツをのばし、しわをなおし、何かしら祈禱の文句を口にした。そして、首を振りふり、骨ばった指を合わせ、どうしても考えられないこととばかりに、こうした言葉をくり返した。

「わたしより先に、死んでいっておしまいだった……」

ジャックが帰って来たことも、ジゼールが家にいることも、反応がにぶり、しわだらけになった彼女の意識の、そのわずかな感受性をも動かしたもののようには見えなかった。ふたりの子供は、ともに何カ月かというもの家庭生活から姿を消してしまっていた。そのため彼女は、いまはふたりのことを考える習慣さえも忘れていた。彼女にとっては、アントワーヌと、それに女中たちだけしか問題でなかった。

しかもそのアントワーヌにたいし、彼女はきょう、はげしい忿懣をいだいていた。時間をきめる段になって、彼女とアントワーヌとのあいだにははげしい論判がもちあがった。みんながほっとできる時期、すなわち、死者が遺骸であることをやめ、単なる柩に変わるべき時期をなるべく早くしようというアントワーヌの案にたいして、彼女はがぜん反対した。彼女には、自分の持っている唯一の財産――ご主人の最後のお姿を見、そのご肉身を見る最後の時――それを彼が取りあげようとしてでもいるように思われた。彼女は、チボー氏のなくなったことが、チボー氏にとり、また自分にとって、結末を意味するもののように考えているらしかった。ところがほかの人たち、とりわけアントワーヌには、そうした結末が、同時に別なことの始まり、新しい時代の門を意味している。彼女にとって、このさきぜったい希望が失われていた。過去の崩壊、とりもなおさず全的瓦解にほかならないのだ。

夕方近く、アントワーヌが、目にしみわたり、元気をかきたててくれるような冷たい空気を味わいながら、いそいそと、歩いて家まで帰って来たとき、ちょうど家番室の戸口のところで、喪服をつけたエッケにぱったり出会った。

「ここで、失敬しよう」と、エッケは言った。「きょうはただ、きみの手を握ろうと思ってね」

トゥリエ、ノラン、ビュカールなどは、すでに名刺をおいていっていた。ロワジーユは電話をかけてよこした。医師仲間からよせられたこうした同情は、ことさらアントワーヌの心を打ち、その日の朝、フィリップ先生が自身ユニヴェルシテ町まで足を運んでくれたときも、《おやじ》のこうした弔問に接して、父を失ったという気持ちよりも、むしろ彼、すなわち医師アントワーヌ・チボーその父を失う、といった印象のほうをはっきり感じさせられたことだった。

「同情する」と、エッケは、慎みぶかい声でためいきをついた。「人間は、ともすれば、死はわれらにとって古い友だちだといったようなことを言う。だが、死が、ついそこに、われわれの家に来たとき、まるでいままで一度も会ったことがなかったとでもいったようなぐあいなんだ」彼はさらに言葉をつづけた。「ぼくにはちゃんと、わかっているがね」そう言うと、エッケはぐっと身を起こし、黒手袋をはめた手を出した。

アントワーヌは、車のところまで送っていった。

このときはじめて、彼には事の類似ということが思い浮かんだ……彼にはいま、ふたたび《あのこと》を考えてみるだけの暇がなかった。だが彼は、《あのこと》が、たとい事情はどうであろうと、最初考えていたよりもずっと重大なことであるのに気がついた。昨夜、自分の手で冷然行なってのけたあの思いきった行為（もっとも彼は、それにたいして全面的な是認をあたえていたのだったが）、彼はそれを、ひとりの人間の進化に深い反響をあたえる本質的経験のひとつとして自分のうちに合併し、自分のうちにとりいれる必要を感じていた。そして、彼は、そうした重さの加重によって、自分の考え方の重心をいやおうなしに変えなければならなくなるだろうことを感じていた。

彼は、放心したような気持ちで、自分の住まいへ帰っていった。

控え間のところに、帽子もかぶらず、襟巻きを首にまき、まっかな耳をしたひとりの少年が待っていた。アントワーヌの姿を見ると、少年は立ちあがった。そして顔じゅうをまっかにした。

アントワーヌには、それが例の事務所のかわいい書記だということがわかった。彼は、あれきり一度もふたりをたずねてやらなかったことを、心にすまなく思った。

「やあ、ロベール君、はいりたまえ。どうした、どこがわるいかね？」

相手は、心をはげまして唇を動かしてみせた。だが、臆しきっているため、《口上》を見つけることができなかった。で、少年は、決然とマントの下からすみれの花束を出した。アントワーヌにはすぐにわかった。彼は、歩みよって花束を受けた。

「ありがとう。さっそくそなえることにしよう。親切に、よく気がついてくれたね」

「それ、ルイが思いついたんです」と、少年はいそいで訂正した。

アントワーヌは微笑した。

「そのルイ君のぐあいはどうだね？　そしてきみは、あいかわらず達者にしている？」

「うん、そりゃあ！……」と、ロベールは、晴ればれした声で言ってのけた。

彼は、アントワーヌが、こうした日に微笑してみせようなどとは予想していなかった。たちまち、いままでのぎごちない気持ちは飛んでしまった。彼はもう、おしゃべりしたい一心だった。だが、そのアントワーヌは、おしゃべりを聞いているよりもほかに用事があった。

「近いうちに、ルイ君といっしょにやってこいよ。そして、何をやってるか、いろいろ話して聞かせてもらおう。日曜なんかどう？」アントワーヌは、まだほんの知ってまもない少年たちであるにかかわらず、ふたりにたいして心からの愛情を感じていた。「約束するかね？」と、彼は言いそえた。

ロベールの顔は、急に真剣な色をおびた。

「約束します」

アントワーヌは、少年を玄関まで送っていきながら、台所でレオンと話しているシャール氏の声を聞きつけた。

《しゃべろうとしているやつが、もうひとりいる》と、彼は、うるさそうに思った。《ええ、早くすましちまおう》そして、彼はシャール氏を書斎にこさせた。

シャール氏は、踊るようにして部屋を横ぎり、ずっと離れた椅子へ行き、そこにちょこんと腰をかけた。そして、目には、たまらなく悲しそうな色を浮かべて、何かずるそうに微笑してみせた。

「話というのはなんでしたか?」と、アントワーヌがたずねた。親しそうな声ではあったが、彼は、あいかわらず立ったままで郵便物の封を切っていた。

「わたくし?」と、相手は、まゆをぴくりとさせた。

《よし》と、アントワーヌは、読み終えた手紙をたたみながら心に思った。《あした、病院をすませてから行ってみてやろう》

シャール氏は、ぶらぶらしている自分の足をながめていた。彼は、とつぜん、厳粛なちょうしで言った。

「若先生、ああしたことはけしからんことだと思います」

「何がさ?」アントワーヌは、また別の手紙の封を切りながら言った。

「何が、とおっしゃいますと?」相手はおうむがえしにくり返した。

「何がけしからんですね?」アントワーヌは、いらいらしながら言った。

「死ぬっていうことでございます」

アントワーヌにとって、それはまったく予期しなかった返事だった。そして、思わずはっと顔をあげた。シャール氏の眼差しは涙にくもっていた。彼は眼鏡を取り、ハンケチをひろげて目をふいた。

「わたくし、サン・ロック寺院の神父さんにお会いしまして」と、彼は、あるいは言葉を休めたり、あるいはためいきをつきながら言葉をつづけた。「ごミサをお願いしてまいりました。ほんの気休めでございます。でも、わたくしにしてみますと、ほんとに安心できるだけのことをいたしておきませんと……」涙は、へたな滝とでもいったように流れつづけていた。そして、ハンケチで目をたたくごとに、それをあとからひざの上でのばし、元のたたみめどおりにちゃんとたたみ、まるで紙入れででもあるかのように、平らにしてポケットにおさめた。

「わたくし、以前は預金の一万フランも持っておりました」彼は、だしぬけにそんなことを言いだした。

《ははあ》と、アントワーヌは思った。

そして、すぐに言葉をさえぎった。

「ぼくには、おやじがあなたのため、何か処置をしておくだけのひまがあったかどうか知らないがね。だがシャール君、心配することはないですよ。ぼくもジャックも、きみの一生、いままでここでもらっていただけの月給は保証するつもりだから」

これこそは、父の死後、金銭上の問題の処理、相続人としてのふるまいをやってのける、その手はじめともいうべきだった。アントワーヌは、こうしてシャール氏を一生せわしてやると約束してやったことが、かなりおうようなことだったにちがいないと思った。そして、自分が、こうしたものわかりのいいやり方のできる立場になれたことを愉快に思った。やがて、彼の考えは、われにもあらず向きを変え、いま父の財産がどれくらいあるか、また自分のもらい分がどれくらいになるか、評価してみようと思いたった。だが、これについては、なんら的確なことがわかっていなかった。

シャール氏は、まっかになった。彼は、明らかに体裁をつくろうため、ポケットからナイフを出し、つめを切るようなふりをした。「じつは、年金をお願いしているのではございませんので！」と、彼は、力をこめて、だが顔を伏せたまま話しだした。そして、おなじちょうしで言葉をつづけた。「資本のことなんでございまして。はい、年金とはちがいますんで！」つづいて彼は、しんみりしたちょうしになった。「若先生、これもデデットのためでございます。いつぞや手術していただきました……おぼえておいでになりましょう？……事実、宅の子供もどうぜんでして。で、年金だけでは、あの子に何が残せましょう」

デデット、手術、ラシェル、日に照らされた部屋、寝室のかげの肉体、竜涎香（りゅうぜんこう）の首飾りのにおい……アントワーヌは、唇辺にかすかな笑いを浮かべながら、郵便物を下におき、うわのそらで耳をかしながら、機械的に、シャール氏の一挙一動を見まもっていた。だが彼は、たちまちくるりとふりむいてしまった。それは、いままでナイフでつめを削っていたシャール氏が、とつぜん刃をひらめかして親指のつめを切りにかかり、まるでコルクでも切るように、ものおじせず、ひと息で、大きく弧を描く身ぶりよろしく、そのつめを、きしませながら切りにかかったからだった。

「シャール君、もうたくさんだ！」とアントワーヌは、歯ぎしりしながら言った。

シャール氏は、さっと椅子から飛びおりた。

「いや、これはあまりかってなことばかり申しあげまして……」と、彼は、どもりながら言った。

だが、彼にとって、事はきわめて重大だった。そこで、さらに最後の攻勢をこころみた。

「若先生、ほんのちょっとした資金、それがありましたら申し分ないのでございましてな。じつは、資金が入用なんでございます。ずいぶんまえから、ひとつ思いついたことがございましてな。いずれそのうちお話し申しますが……」彼は、夢でもみているように「いずれそのうち……」とつぶやいた。ついで、言葉のちょうしを変えると、無表情な眼差しをドアのほうへそそいだ。

「さよう、ごミサをとなえてもらう……それもけっこうでございましょう。でも、わたくし考えますところでは、お父さまには、何もご入用ではございませんよ。ああしたかたは、死んでもだいなしにはおなりにならない。わたくしの考えますところでは、ちゃんときまっておいでですな。もういまごろは……」彼はごましおの頭をふりふり、いかにも確信しきったようすで「……もういまごろは……もういまごろは、天国においでてでございますよ！」とくり返したと思うと、ぴょんぴょんとびながら玄関のほうへ出ていった。


シャール氏が出ていくかいかないうちに、アントワーヌは、喪服の仮縫いにやって来た仕立屋と会わなければならなかった。彼はすでに疲れきってしまっていた。それが、鏡の前、愚にもつかず立たされたおかげで、まさにとどめをさされた感じだった。

彼は、父の住まいにもどるまえに、一時間ばかり寝ておこうと考えていた。ところが、仕立屋を送り出しにいった彼は、ちょうどベルを押そうとしていたバタンクール夫人にばったり出会った。

夫人は、さっき、時間の打ちあわせをしようと思って電話をかけてきたのだった。そして《おそろしい知らせ》を知らされた。そこで彼女は、その日の用事を途中でやめて、わざわざやって来てくれたのだった。

アントワーヌは、丁重に、だがドアのところで応対した。夫人は彼の手を握りながら、高い声で、目に見えていそいそしたようすで、父を失ったことの悔やみを述べたてはじめた。

夫人が帰らないつもりとすると、こうして玄関に立っているのもおもしろくなかった。いわんや夫人は、ひと足アントワーヌをうしろにすさらせ、すでに家の中に乗りこんできてしまっていた。ジャックは、午後のあいだ、ずっと部屋から出ずにいる。しかも、その部屋のドアというのは、ついそこだった。アントワーヌは、ジャックが夫人の声を聞きつけ、それが誰の声だか聞きわけるにちがいないと思った。そして、そうした推定は、彼にとってなんというわけもなく不愉快だった。いやな顔を見せまいとしながら、彼は、ちょっとその場をはずし、自分の書斎のドアをあけると、いそいで上着をひっかけた。(彼はそれまで、ワイシャツ姿でいた。このことが、ふいをおそわれた不愉快さに、さらに何かをつけ加えていた。)

最近数週間、いろいろな事情は、彼と、この美しい患者との関係にいささかの変化をもたらしていた。夫人は、子供の病状報告という名目で、いままでよりひんぱんに彼のところへやって来た。子供は、イギリス人の家庭教師といっしょに、パ・ドゥ・カレーで冬をすごしている。そして、そこへは夫もいっしょに行っている。(というのは、シモン・ドゥ・バタンクールは、なんのためらうところもなく、地所や猟をふりすてて、妻のつれ子とベルクに住むことにしたからだった。そして妻だけは、一週のうち何日か、パリに出てくる口実を見つけて、行ったり来たりをつづけていた。）

夫人は、掛けろと言っても掛けなかった。そして何かきっかけのありしだいアントワーヌの手を握ろうと、まぶたを細め、胸を吐息にふくらませながら、彼のほうへ身をよせてきた。夫人は、男を見るとき、いつもその唇をみつめた。ところがいま、彼女は、そのまつげのあいだから、相手もまた、その目を、自分の口のあたりにたえずそそいでいるのに気がついた。彼女は大いにどぎまぎした。この夕、彼女には、アントワーヌがとても美しい男のように思われた。彼の顔には、これから持たなければならない決心が、明らかな精悍の気を刻みつけたといったように、いつにもましてさらにりりしさを見せていた。

夫人は、同情の目を彼のほうへあげた。

「ずいぶんおつらくっておいででしょう？」

アントワーヌは、なんと答えていいかわからなかった。夫人を前にしてからというもの、彼はちょっと改まったようすを見せていた。それは、何かしら自分にかっこうをつけてくれるとともに、いっぽうぎごちない思いもさせていた。彼は、陰険そうなようすで、上目づかいに夫人のほうをうかがっていた。彼は、夫人の胸が、着物の下で重く息づいているのを見た。彼は、さっと顔にほてりを感じた。彼は顔をあげながら、美しい夫人の目の中に、ちょっと笑ってでもいるようなひらめきをみとめた。この夕、彼女の心の中には、何か欲望といったようなもの、計画、あるいは、ちょっと気まぐれな考えといったようなものが生まれていた。そして、彼女自身、つとめてそれを外にあらわすまいとしていた。

「でも、何よりもおつらいのは」と、夫人は力なげなようすで言った。「それはあとになってからでございますわ。生活がふたたび始まり、そしてどちらを向いてもからっぽなのに気がおつきになったとき……あたし、これからもときどきお目にかかりに来ていいでしょう?」

彼は、まじまじと夫人を見つめた。むっとした彼は、皮肉な微笑を浮かべながら、ぶっきらぼうに言ってのけた。

「ご安心ください。ぼくはおやじを愛していませんでしたから」

言いおわるやいなや、彼は後悔した。そんなことを思っただけで、それを口にした以上に、なんともたまらない気持ちだった。《しかも、おれは、おそらくこいつのおかげで、本音をあげさせられたにちがいない》と、彼は思った。

夫人は、あっけにとられていた。もっとも、そうした言葉の意味よりも、そのちょうしにむっとさせられたのだった。彼女は一歩あとにさがった。そして、心をたてなおした。

「じゃ!」と、彼女は言った。いろいろ技巧のあったあとで、かん高い彼女の笑いが、はじめて朗らかな響きをたてた。

彼女が手袋をはめているあいだ、渋面とも微笑ともつかないあいまいなしわが、その唇をしめあげていた。そして、アントワーヌは、どこまでも攻撃的な態度で、口のあたりのなぞめいたふるえを興味ぶかく見まもっていた。口は、口紅でひとはき強く引きのばされ、まるで傷あととでもいったようだった。もしもこのとき、彼女が何かあつかましい微笑でももらしてのけたら、おそらく、彼女を外へ突き出してしまったにちがいなかった。

彼は、われにもあらず、夫人の着物にたきこめられている快いにおいを吸っていた。彼はふたたび、夫人の胸が、上着の下に重く脈打つのを見た。彼は、狂暴に、そのあらわな胸を想像した。そして、全身が揺りあげられるような感じだった。

毛皮の外套の前をかけると、彼女はずっと身を遠のけ、顔をあげ、快活そうなようすで彼を見つめた。それはあたかも《こわくって?》とでもいっているかのようだった。

ふたりはたがいにじっと目と目を見かわした。おなじような冷ややかな忿懣(ふんまん)。おなじような恨みの気持ち。機を逸したという、おなじようなばくとした感慨。彼が何も言わずにいるのを見た夫人は、くるりと彼に背を向けたと思うと、自分で戸をあけ、彼にかまわずに出て行った。

彼女のうしろには、ドアがはげしく鳴りわたった。

彼は、くるりとふり向いた。だが、そのまま書斎にもどるかわりに、手は汗ばみ、頭は乱れ、こめかみのあたり、血の高鳴りに耳はろうし、一瞬じっと立ちつくして、ありありと、その人を思わせるはげしいにおいを、胸おどらせながらかいでいた。そして、気ちがいじみたようすで、ふたたびくるりとふり返った。はげしい気性の女のことだ、あれほど恥をかかしたうえで、ふたたび物にしようとするのがどんなに危険であるかと、自分をむちうつそうした思いも、ほとんど心にかからなかった。

彼は、壁にかけた帽子と外套とに目をそそいだ。彼は、さっと手を伸ばしてそれをはずした。そして、落ちつかぬ一瞥をジャックの部屋の戸口に投げてから、そのままおもてへ飛び出した。

九

ジゼールは、ベッドを離れなかった。半醒半睡、すっかり疲れきっていた彼女は、からだを動かそうとするとすぐ苦しくなるので、ただぼんやりと、頭のうしろ、壁にそって廊下を行ったり来たりする弔問客の足音を聞いていた。もやのなかから、ただひとつの考えだけが浮かびあがっていた。《見つかったんだ。そしてこの家にいるんだ……もうじき姿を見せるかもしれない……もうじきやって来るにちがいない……》彼女は、足音をうかがっていた。

だが金曜がすっかりすぎ、土曜も過ぎたが、ジャックは姿をあらわさなかった。

じつをいうと、ジャックもジゼールのことを思いつづけていた。しかも、いらいらするほどの悩ましさで。だが、彼女とふたりきりになるのをおそれた彼は、自分からそのきっかけをつくりだす決心がつかず、ただゆっくりと、機会のくるのを待っていた。それにきのう以来、彼は人に会ったり、見つけられたりするのがいやさに、ほとんど階下の部屋を出ずにいた。夜になったとき、彼ははじめて階段をあがり、足音をしのばせて住まいを横切り、遺骸の安置してある部屋の片すみへ行ってすわった。そして、夜の白むころ、はじめてそこを出たのだった。

ところが、土曜日の夕方、偶然アントワーヌから、ジゼールに会ったかとたずねられた彼は、食事がすんでから、彼女の部屋を訪れる決心をした。

ジゼールは、だいぶよくなっていた。ほとんど熱もおりていたし、テリヴィエも、あしたは起きていいと言っていた。うす暗い部屋のなかでうとうとしながら、彼女は目のつぶれるときのくるのを待っていた。

「どう？」彼は、快活なちょうしで言った。「よう、なかなか血色がいいじゃないか！」ランプのかさのつくる黄いろいかげの中に、大きく目を見ひらいている彼女は、たしかに健康そうなようすだった。

彼は、ベッドのそばまでは近よらなかった。彼女は、一瞬、まが悪そうにしていたあとで、自分のほうから手を差し伸べた。いささか広めなそで口からは、ひじの上のところまであらわのままの腕が見えた。彼は、手をとると、それを握らずに、医者のまねをしてさわってみた。燃えるような皮膚だった。

「まだ少し熱があるようだな？」

「ないわ！」

彼女はドアのほうへ目をそそいだ。彼は自分がちょっと来ただけということを知らせるかのように、それをあけ放しておいたのだった。

「寒い？　しめようか？」と、彼が言った。

「いいわ……どうでも」

彼は、きさくに立っていって、ふたりきりになるためにドアをしめた。

彼女は、微笑しながら礼を言った。そしてまくらのくぼみに頭をあてた。彼女の髪は、そこに、つやのない黒い斑点のように見えていた。やがて、かるく切れこんだシュミーズから胸の見えるのに気のついた彼女は、襟があかないように手をあてた。ジャックは、その手首のしとやかな曲線、また、こうしてシュミーズのそばにおかれて、さもしめった砂というような感じの、彼女の浅黒い皮膚の色を見た。

「毎日なにをしていらしって？」と、彼女がたずねた。

「ぼく？　何も。やって来る連中に会いたくないんでひっこんでるのさ」

これを聞くと、彼女は、チボー氏の死んだことを思いだした。そして、ジャックが喪中であることを思いついた。彼女は、自分がたいして悲しい気持ちになれないでいるのを、われとわが心にとがめていた。ジャックにしても、はたして悲しがっているのだろうか？　彼女には、自分としてジャックに言うべきはずの、なんのやさしい言葉も見つからなかった。彼女はただ、父が死んだので、ジャックがすっかり自由になれるだろうということだけを考えていた。そして、こんなことを思っていた。《ではもう、家を出て行く必要なんかなくなったんじゃないかしら？》

彼女は言葉をつづけた。

「少し外へ出てごらんになったほうがいいわ……」

「そう。きょうなんかも、頭が重くてたまらなかった。で、ちょっと出てみたんだ……」彼は言いよどんだ。「新聞を買いに……」

事実はもっとこみ入っていた。彼は四時ごろ、なんの目的もないこうした待機の状態にいらいらしながら、そしていっぽうでは、自分にもあとになってからようやくわかったのだが何かばくとした気持ちに動かされるままに、スイス新聞を買いに行ったのだった。どこというあてもなく……

「あっちでは、のびのびした空気の中に暮らしておいでになれた？」彼女は、しばらく黙りこんでいたあとでこうたずねた。

「うん」

彼は、この《あっち》という言葉にふいをうたれた。そして、思わず、ぶっきらぼうな、ほとんど無愛想なちょうしで返事をした。言ってしまってから、すぐに後悔した。《もっとも》と、彼は考えた。《この家に帰ってきてから、おれの言うこと、なすこと、思うこと、何から何までちょうしっぱずれだ！》

彼の目は、われにもあらず、ランプの光がこっそりそそいでいるベッドのほうへ向けられた。そして、その目は、白いウールの毛布の上にそそがれた。いかにも軽やかな毛布の下には、若い肉体のやわらかな起伏、腰の輪郭、伸ばした足、軽くひらきかげんの両ひざの高まりなど、それとはっきりうかがわれた。彼は、つとめて何げないようす、楽なちょうしで話そうとした。だが、かえってますます固くなった。

彼女は《掛けないこと?》と、言おうとした。だが、彼の眼差しをとらえることができないままに、言いだし得ずに終わってしまった。

彼は、体裁をつくろうため、家具とか、こっとう品とか、金箔のきらきら光っている小さな祭壇とかをながめていた。彼は、自分が家へもどってきた朝、この部屋に身を隠したときのことを思いだした。

「なかなかきれいな部屋じゃないか」と、彼はやさしく言った。「昔この長椅子は、なかったな?」

「お父さまがくだすったの。あたしの十九のお祝いに。おぼえてない? メーゾン・ラフィットの三階の踊り場のところにあったのよ。郭公(かっこう)時計の下のとこ!」

メーゾン・ラフィット……彼はたちまち、あの三階の踊り場、ステインド・グラスをとおす日の光にあふれ、夏のあいだじゅう、夕日に向かって、まるで騒ぎたつ蜂の巣のような音を立てる羽虫でいっぱいの踊り場のことを思いだした。それにまた、鎖のさがった郭公時計。しんとした階段のところに、一時間に四回、木製の小さな鳥が、おかしな鳴き声をたてるのだった……そうだ、彼が遠くへ行っていたあいだ、ふたりにとっては、すべて少しも変わらなかった。そして、そういう彼にしたところで、少しも、ないしほとんど変わらなかったのではないだろうか？　ここへ帰ってきて以来、われ知らぬ一挙一動のうちたえず昔の身ぶりのかげを見せているのではないだろうか？　たとえば、階下にあって、靴ふきでの靴のこすりかた、入口のドアの手荒なしめかた、電気をつけるに先だって、昔のままの二本のくぎへの外套のかけかた……そして、自分の部屋を行ったり来たりするときの一挙一動、すべて無意識な思い出が、ふたたび行為の形をとっているのではないだろうか？

ジゼールは、こっそりと、かげにかくれて、不安をたたえた彼の顔、そのあご、その首、その手にいたるまでをながめていた。

「とても強そうになったわね」と、彼女は、小声で言った。

彼は、向きなおって、微笑した。子供のころ、むしろ弱々しいのを苦にしていた彼にとって、こうして強くなったと思うとき、心ひそかに得意にならずにはいられなかった。そして、たちまち、われ知らず——これまた反射的というやつだった——それを思いだしたことを自分自身でもおどろきながら、こうした文句を口にした。

「《ヴァン・ドゥ・キュイプ少佐は、世にもまれなる強い人でした》」

喜びの色が、さっとジゼールの顔を輝かした。それはいく度となく、大好きな本のさし絵の下、ふたりで読んだ物語だった。ところはスマトラの大森林、ふたりのオランダの少佐が、恐ろしいゴリラをわけなくたたきのめす話だった。

「《ヴァン・ドゥ・キュイプ少佐は、バオバブの木かげに、うっかり寝こんでしまいました》」と、彼女は陽気につけくわえた。そして、頭をぐっとうしろにそらし、目をつぶり、大きな口をあけてみせた。少佐は、いびきをかいていたにちがいなかったから。

ふたりは笑った。すべてを忘れ、ふたりだけが知る少年時代のおどけた回想の楽しさを心ゆくばかり味わいながら、たがいに顔を見あわせて笑った。

「それに、あの虎の絵」と、彼女が言った。「ほら、あなたに、おこって破かれちまった！」

「そうそう。なんで破いたんだっけ？」

「ヴェカール神父さんの前で、あたしがげらげら笑ったからって！」

「ものおぼえがいいんだな！」

「あたしも」と、彼女が言った。「あとになって、《虎の子》をならしてみたいと思ったことがあるのよ。そして毎晩、自分は、虎の子をだいてあやしてやっていると想像しながら眠ったものよ……」

ちょっとのあいだ沈黙がつづいた。ふたりは、何かおもしろそうに、たがいに微笑をかわしていた。ジゼールのほうが、ふたたび考えこんだようすにかえった。

「それはそれとして……」と、彼女は言った。「あたし、あのころのことを思うとき、いつもたいてい、長いながい、はてのない退屈な日のことしか思いだせないのよ……あなたは？……」

発熱、疲労、こうした思い出——そうしたことから、彼女は何か悲しそうなようすだった。そうしたぐったりしたようすは、横になっている彼女の姿態、人なつかしげな眼差し、熱帯生まれらしい顔色と、しっくりあったものだった。

「ほんとに」彼女は、ジャックが何も返事をせず、ただまゆをよせてみせたのを見て言葉をつづけた。「子供にとって、あんな退屈さって、ほんとにおそろしいことだと思うわ！　ところで、十四、五になると、退屈はどこかへ消えてしまったの。なぜだかあたしにもわからないんだけれど。心の中でね。いまではもう、退屈なんて忘れちまったわ。たとい……」（彼女は心に、《たとい、あなたのため、つらい思いをさせられたって》と、思っていた。だが、口に出しては、これだけ言った。）「たとい、うまくいかないことがあっても……」

ジャックは、下を向き、両手をポケットの底に突っこんだまま黙っていた。いま過去の回想は、彼の心になんともたまらない痛恨の衝動をおこさせていた。いままでの生活をかえりみて、そこには何ひとつ、これと思われるようなものは見いだせなかった。自分の生活のいかなる時期、いかなる点をとり出してみても、（あのアントワーヌにおけるように）自分の場所、真の自分の地盤の上に垂直に立っているといったような気持ちにはなれなかった。どこへいっても旅がらす。アフリカでも、イタリアでも、ドイツでも、ローザンヌでさえ、ほとんどほかと変わりがなかった……しかも、旅がらす以上だった。追いたてられるだけにはとどまらない、狩りたてられた男だった。家族から狩りたてられ、社会から、いろいろな生活の条件から狩りたてられた男だった……自分にも何とはっきりわからないもの、自分自身の中から出てくるらしいものによっても、狩りたてられている男だった。

「《ヴァン・ドゥ・キュイプ少佐は……》」と、ジゼールがはじめた。彼女は、いつまでも子供時代の思い出をつづけていた。それというのも、自分の心をとらえているもっと手近な思い出については、口にできなかったからだった。だが、彼女はたちまち口をつぐんだ。そうした灰の中からは、もはやどんな炎をも燃えあがらせることができないと感じていたから。

彼女は、黙ってジャックをながめつづけていた。だが、どうしてもなぞはとけなかった。ふたりのあいだに、ああしたことがあったというのに、なんで家出なんかしたのだろう？　アントワーヌの口からもれたはっきりしないかずかずの言葉は、彼女を動転させただけで、何ひとつ了解させてはくれなかった。この三年の年月のあいだに、ジャックはどう変わったというのだろう？　ロンドンの花屋からの紅ばらは何を語っていたのだろう？

彼女はたちまちこう思った。《ずいぶん変わってしまっている！》

彼女は、いま、隠そうにもかくせない感動をこめてつぶやいた。

「ジャコ、ずいぶん変わったわね！」

ちらりとしたジャックの眼差し、何かその裏にこめられている微笑を見るなり、そうした感動の、彼の気にいらなかったことが受けとられた。彼女はすぐに、表情と声とを変えながら、イギリスの寄宿舎生活のことについて、快活なちょうしで話しはじめた。

「とてもいい気持ちよ、ああしたきちょうめんな生活って……朝、大空の下で体操をやり、朝食(ブレクファスト)をいただいてから勉強に向かうときのはりきりかたったら！」

〈彼女は、そのロンドン滞在中のただひとつの心の張りが、ふたたび彼にめぐりあいたいためだったとは口に出して言わなかった。また、そうした朝のはりきりかたが、一刻一刻なんとすみやかにうすれてゆき、夜、寝室のベッドに身を横たえるとき、なんとはげしい絶望の波におそわれたか、それも打ちあけようとしなかった。）

「イギリス人の生活って、こっちの人たちの生活とずいぶんちがってるの。とてもとても魅力的だわ！」なんでもない話の糸口の見つかったのにほっとした彼女は、ふたたび襲う沈黙の圧迫を押し殺そうと、ひたすらそれにすがりついていた。「イギリスでは、なんでもないことに、みんなつとめて笑うのよ。生活は、ぜったい悲しいものであってはならないと思ってるの。だから、ほら、できるだけものを考えないようにして、遊ぶのね。あの人たちにとって、何から何までが遊びなの。まず第一に生活自体！」

ジャックは、口だしをせずにこのおしゃべりを聞いていた。自分もいずれイギリスへ行こう。ロシアへも、アメリカへも。そうだ、よその国へ行くため、何かを求めるため、これから先、ひろいひろい未来があるのだ……彼は、愉快そうに微笑した。そして、うなずいてみせた。彼女はけっしてばかではなかった。しかも三年という月日が、彼女をすっかり成熟させさえしたようだった。それに、美しくもさせ、上品にもさせ……彼は、さらにあらためて、夜具の下、まるでそれ自身のぬくみによってとろりとしたような、しなやかな彼女の肉体に目をそそいだ。するととつぜん、過去の思い出が彼をとらえた。彼は、何から何までを思いだした。あのときの激情、メーゾン・ラフィットの大きな木かげでの抱擁など。清らかな抱擁だった。それでいながら、彼は、その後長い年月を経、そのあいだいろいろなできごとを経験しながら、いまもなお、腕の中にはあのときのたわんだ胴体を、口の下には、まだなんの経験も持たなかった彼女の唇を感じつづけていた！　理性も意思も、一瞬ゆらいでしまった。それになんのむりがあろう？……彼は、あのたまらなかったころとおなじように、《彼女を自分のものにしてしまおう、彼女と結婚してしまおう》とさえ考えかけた。だが、彼の考えは、自分にもはっきりわからぬ、不透明な、心の中の何ものかに打ちあたった。それこそは、心の中央に打ち立てられた、踏みこえがたい障害だった。

つづいて、ベッドの中に長々と伸ばされた、溌剌とした、そしてしなやかな手足をあらためてながめかえしているうちに、すでに多くの思い出を持った彼の空想は、たちまち別のベッドの中、おなじようによく引きしまり、まるまるとしている別の胴体、彼女とおなじようにシーツの中にきつくくるまっている別の胴体の輪郭を思い浮かべた。そして、いましがた心をかすめた欲情は、たちまち憐愍(れんびん)の気持ちの中に溶けこんでいった。彼の心は、鉄のベッドに寝ていたライヒェンハールのいじらしい売春婦の姿を思いだした。まだ十七歳の小娘で、なぜかわからないが、死にたい死にたいと言いつづけていた彼女は、戸棚の掛け金に、すべりわなをつくったひもを結びつけ、それで首をくってぐったりベッドの上にすわっているのを発見された。ジャックは、いちばん先に部屋にはいったもののひとりだった。いまも彼には、そこにみなぎっていた脂肪のこげるようないやなにおいを思いだした。とりわけはっきり思い浮かぶのは、部屋の奥で、じーじーというフライ・パンのなかに卵を割って落としていたまだ年若いひとりの女、その平べったい、なぞのような顔だった。少しの金を握らせたおかげで、彼女はやっと話してくれた。しかも、奇怪なほど、こまかい話をきかせてくれた。そしてジャックから、この死んだ女をよく知っているかとたずねられたのにたいして、いまもはっきりおぼえているのは、当然だといったちょうしで、

「Ach *nein*! Ich bin die Mutter!」（《知らないでしょうさ。なにしろ、あたしゃ母親なんですからね》）と言ってのけた。

この思い出を、彼はジゼールに話しかけようとした。だが、それは《あちら》を話すことであり、うっかりいろいろな質問をさそい出すおそれがあった……

彼女は、ベッドの中に身をうずめ、なかばとざしたまつげのあいだから、むさぼるように彼をながめていた。彼女は、もうがまんできなくなっていた。彼女はたえず、こうさけびたくなってくるのをこらえていた。《ねえ、言ってちょうだい！　あなたいったいどうなったの！……そしてあたしは？あなたはすっかり忘れちゃったの？》
彼は、心配そうな、気もそぞろなようすで、両足の上にたがいちがいにからだをゆすりながら、行ったり来たり歩きまわっていた。彼には、自分の目と熱っぽいジゼールの目と出あうごとに、自分と彼女とのあいだに、なんとも一致させがたい不一致のあるのを感じて、たちまち、きわめて冷ややかなそぶりをよそおうのだった。そして、まっ白なベッドの中、あらわな首筋とともに彼女の見せているいかにも子供っぽいものごし、いかにも無邪気な姿に、自分がどれほど心を動かされているか、少しもそれをけどらせなかった！　この悩んでいる少女にたいし、彼は兄としてのあらゆる愛情を感じていた。だが、そうした彼女と自分とのあいだに、いまはなんというおびただしい不純な思い出がよ

こたわっていることだろう！　自分がこうも年をとり——疲れきり、けがれはてたと思うことの、なんとつらいことだろう！

「もうテニスのほうは、押しもおされもしない腕まえなんだろうな？」簞笥の上にラケットを見つけた彼は、はぐらかすようにこうたずねた。

彼女は、急にひとつの感情からほかの感情へと移っていった。彼女は、いかにも得意げな無邪気な微笑を浮かべずにはいられなかった。

「見せてあげるわ！」

そう言ったあとではっとした。われ知らず、そうした言葉がもれたのだった。「見せてあげる……」では、どこで？　そしていつ？……まずいことを言ってしまった！……

だが、ジャックは、少しも気がつかないようすだった。彼はもう、ジゼールのことなど考えてさえもいなかった。テニス、メーゾン・ラフィット、白い着物……クラブの入口で、《彼女》がひらりと自転車から飛びおりたときのあのおりかた……ところで天文台通りの家のよろい戸は、どうしてすっかりしまっていたんだろう！

（というのは、きょうの午後、どことあてもなく家を出た彼は、リュクサンブール公園まで足をのばし、そこからさらに天文台通りまで行ったのだった。おりから、日が暮れかかっていた。彼は、襟を立てて、足早に歩いていった。彼は、一刻も早く誘惑からのがれるためには、いつもすすんでそれに身をまかせるのを習慣にしていた。さて、彼は立ちどまった。そしてとつぜんじっと目をそそいだところが、窓という窓がしまっていた。なるほどダニエルがリュネヴィルで兵役に服していることだけはアントワーヌから話されて知っていた。だが《ほかの人たち》は？　べつに時刻がおそいわけでもなし、どうしてよろい戸が……だが、結局そんなことはどうでもよかった！……彼はくるりと向きをかえると、近道をとおって家に帰った。）

彼女には、ジャックの気持ちがどれほど自分から離れているかを、わかったとでもいうのだろうか？　彼女は、きわめて自然に腕を伸ばした。それはまるで、彼に追いつき、彼をとらえ、彼を引きよせようとでもするようだった。

「ひどい風だなあ！」彼は、そうした彼女の動作に気のつかないようすで、いかにも快活に言ってのけた。「暖炉のトラップ（暖炉の通風調節板）ががたついてるな。気にならない？　待ちたまえ」

彼はひざをついた。そして、二枚の亜鉛板のあいだを詰めようと、古新聞を押しこんだ。彼女は、いろいろなことを感じながら、それを口に出さずにいるのに疲れて、彼のなすままを見まもっていた。

「そうら、できた」彼は、身を起こしながら言った。そして、ためいきをつき、さて自分のことばをたいして考えてみるでもなしに「そう、えらい風だ……早く冬が行っちまって、春がきてくれるといいなあ……」

彼は、遠い国で過ごした春のことを思いだしているにちがいなかった。《五月になったら、これこれのことをしよう。そしてあっちへ出かけよう》彼女には、彼がこんなことを思っているだろうことが感じられた。

《そして、その春がやって来たとき》と、彼女は思った。《この人は、いったいあたしにどれほどの位置をあたえてくれるのかしら？》

置き時計が鳴った。

「九時だな」と、ジャックが言った。まるで帰るときになるのを待っていたとでもいうようだった。ジゼールも、九時の打つのを聞いた。《いく晩》と彼女は思った。《あたしはいく晩、この部屋の中、このランプのそばで何かを待ち、何かを望んでいただろう！　今夜とおなじく、時計は時を打っていた。だが、ジャックはすでに姿を消してしまっていた。ところがいま、その人は、ここ、この部屋の中、あたしのそばにいる。すぐそこにいる。あたしといっしょに、時計の鳴るのを聞いている……》

ジャックは、ふたたびベッドのそばにもどっていた。

「さあ」と、彼は言った。「もう寝かしてあげなくちゃあ」

《その人はここにいる》と、彼女は、さらにしっかり彼を見ようと、目を細めながら心の中にくり返した。《その人はここにいる！　だのに、生活も、世の中も、あたしたちふたりをとりまくすべてのものも、平気なようすを、いつもとおなじようすをしている！　何ひとつ変わってなんぞいないのだ……》彼女は——それは悔恨のようにつらいものだった——そう言っている彼女自身、なんと言っても《変わって》いないこと、じゅうぶん《変わった》と言えないことを感じていた。

彼は、べつに急いで出ていきそうにも見えなかった。そして、しばらくのあいだ、ベッドのそばに立っていた。彼は、きわめて平静な気持ちで、シーツの上に投げだされた小さい小麦色の手にさわった。彼には、麻の窓掛けのにおいに、今夜なにかしら酸味のまじりあっているのが感じられていた。それが、熱のにおいだろうと思っているあいだはかなり気持ちが悪かったが、ナイト・テーブルの上におかれた下皿の中のレモンの切れのにおいだと気がつくと、うれしそうにそれを吸った。

ジゼールは、動かなかった。目は、すきとおった涙にあふれ、彼女はそれを、あけたままのまぶたのあいだでおさえていた。

彼は、何も目にはいらないふりをした。

「ではおやすみ！　あしたはきっとなおってるぜ……」

「あら、あたし、たいしてなおってほしくもないのよ」彼女は、むりに微笑をつくりながら、ためいきとともにそう言った。

いったい何を言おうとしたのだろう？　それは彼女自身にもわからなかった。たいしてなおりたくもないといった気持ち、そこには彼女のぐったりした気持ちがしめされていた。そこにはあすの生活にたいする勇気の欠乏、とりわけ、あれほど待ちに待った瞬間が、こうもたよりなく、と同時にこうもなつかしく過ぎ去ってしまったさみしさとでもいったものがしめされていた。彼女は、心をはげまして、興奮にこわばる唇をほころばせた。そして、快活な声で言った。

「ジャコ、来てくれてありがとう！」

彼女には、も一度彼に手を伸べてみたい気持ちがあった。だが、その彼は、すでにドアのところまで行っていた。彼は、くるりとふり向くと、ちょっと頭で合図をした。そして部屋から出ていった。

彼女は、明かりをすっかり消し、夜具の中にもぐりこんだ。心臓は、重く打っていた。彼女は、両腕を胸に組みあわせ、ちょうど昔、《よくならした虎》をだいていたときとおなじように、われながらはっきりしない何か悔恨のようなものを胸にいだいていた。《マリアさま》と、彼女は機械的につぶやいた。《マリアさま、わたくしにとっての道しるべ、わたくしの主たるマリアさま……あらゆる希望、あらゆる慰め……あらゆる悲しみ、あらゆる苦しみ、すべてをおまかせ申しあげます……》彼女は、年よりもませた熱意をこめて、聖母マリアに祈っていた。そして、自分の祈りの歌の中に、胸の思いを眠らせようとした。彼女にとっては、こうして何も考えず、ただ祈りに祈っているときがいちばん幸福に思われた。両腕は、胸の上にしっかり組まれていた。すべてはゆらめき、すでに半睡半醒の夢の中に溶けかけていた。彼女は、あたたかいベッドの中、しっかり自分の胸にだきしめているのが、これまた子供、自分の子供、自分だけの子供ででもあるかのように思った。彼女はいま、その子のねぐらをつくってやるため、からだをぐっとかがめていた。そして、そうした愛の空想によってつくりだされたものをしっかりだくために身をかがめ眠りかけながら涙をそそいでいた。

十

アントワーヌは、弟がジゼールの部屋を出て、寝に行くのを待っていた。彼は、今夜、チボー氏が残しておいたと思われるうちわの書類をざっと調べたいと思っていた。そして、そうした前提的な調査には、むしろひとりのほうがいいと思った。といって何も、父のものについて、何から何までジャックをのけ者にしようという気持ちではなかった。ただ、父が死んだ翌日、父の最後の意思を知ろうと思ってやってきたとき、彼の目は、ふと、《ジャック》という見出しをもった一枚の紙片の上に落ちたのだった。彼には、ざっとひとわたり読みくだすだけの時間しかなかった。だが、それだけで、すでにこれを当事者に読ませてはかわいそうだということがわかった。ほかにもなお、この種の書類があるかもしれない。それをジャックに見せたところでなんにもならない。少なくもこの際……

書斎へ行くまでに、アントワーヌは、シャール氏の仕事が進んでいるかどうかをたしかめようと思って食堂を抜けた。つぎたしのそでのついた大きなテーブルの上には、届いたばかりの通知状や封筒の最後の何千枚かが山とつまれていた。ところがシャール氏は、あて名をどんどん書きつづけるかわりに、紙包みをひとつひとつあけてみては、それを一心に調べているらしかった。

アントワーヌは、びっくりしてそばへよった。

「世間のやつらは、どうも不正直なもんでございましてな」と、シャール氏は顔をあげながら言いきった。「一包み五百枚でなければならないのに、これは五百三枚、と思うと別のは五百一枚」こう言いながら、彼は余分の通知状を破り捨てていた。「いや、べつにたいしたことではございませんが」と、彼は、寛容な態度をしめしてみせた。「なんにしても、これをすっかりとっといた日には、余分のやつであふれかえってしまいますからな」

「余分……なんの余分だね?」アントワーヌは、あきれたように言った。

相手は、のみこみ顔にちょっと笑ってみせながら、意味ありそうに指を一本立ててみせた。

「ほんとにそうじゃございませんか!」

アントワーヌは、それ以上たずねてみる気にもなれず、そのまま部屋をでてしまった。《驚くなあ》と、彼は微笑しながら思った。《あいつといっしょにいると、ほんのちょっとのあいだではあるが、こっちがばかなんじゃないかという気持ちになるんだ!》

書斎にはいると、彼は全部の明かりをつけ、窓掛けを引き、ドアをしめた。

チボー氏の書類は、すべて順序よく整頓されていた。《事業》方面のものは、別の書類箱にはいっていた。金庫の中には何枚かの証券類もはいっていたが、とりわけ古い会計簿、それに資産管理に関するあらゆる書類がいれてあった。デスクのひき出し、その左手のものには、公正証書類、契約書、目下進行中の諸案件に関する書類がはいっており、それにたいする右手のもの、すなわち、今夜とりわけアントワーヌの興味をひいているほうの分には、むしろ個人的問題に関するものがはいっているらしかった。彼が、遺言書を見つけたのも、そのひき出しの中だった。そして、おなじ書類の中に、ジャックに関する覚書もはいっていた。

彼は、それをどこにしまっておいたかおぼえていた。もっともそれは、聖書からの引用句にすぎなかったが。

申命記第二十一章自十八節至二十一節

人にもし放肆にして背悖る子あり、その父の言にも母の言にも順はず、父母これを責るも聴ことをせざる時は、

その父母これを執へてその処の門にいたり、邑の年老等に就き、

邑の長老たちに言ふべし。我らの此子は放肆にして背悖る者なりと。

然る時は、邑の人みな石をもてこれを撃殺すべし。

汝かく汝らの中より悪事を除き去るべし。然せば、イスラエルみな聞て懼れん。

その紙片には、『ジャック』と書かれていた。そして、その下には《放肆にして背悖るもの》とあ

った。

アントワーヌは、胸をおどらせながらそれを調べた。筆跡は、晩年のものにちがいなかった。本文は、ていねいに写しとられていた。そしておのおのの言葉の最後の文字が、すべてしっかりした筆づかいで書かれていた。そこには、精神的な落ちつき、反省、確固たる意思といったような印象がうけとられた。それでいて、こうしたものがあるという事実、老人が、心あってそれを遺言書とおなじ封筒の中に入れておいたということ自体、何かその心の苦悩、そのなしたことにたいする釈明の必要、とでもいったようなものをつたえているのではないだろうか?

アントワーヌは、ふたたび父の遺言を手にした。


堂々たる一巻。ページづけがされ、章に分かたれ、それがさらに節に細分されているところ、まったく報告書とでもいったようで、最後に目次がついていた。そして、すべては厚紙のたとうの中に入れられていた。日付は《一九一二年七月》。してみると、チボー氏が、はじめて病におそわれたころ、手術に先だつわずか二、三カ月まえのものなのだ。ジャックについてはひと言も書かれていない。ただ《わが子》とか《わが相続人》とか書かれていた。

アントワーヌは、ついきのうざっと読みくだしてみた一節、『葬儀について』と題された一節をずっと読んでいった。

遺骸は、予が教区たるサン・トマ・ダキャン寺院にての読唱ミサの後、クルーイに運ばれたし。葬儀は、少年園内御堂(みどう)において、全園児参列のうえ挙行せられたし。クルーイにおける葬儀は、サン・トマ・ダキャン寺院におけるものと異なり、委員会が予の遺骸にたいし、至当と認むる盛儀をもって行なわれたし。墓所に送らるるに際しては、長年にわたり、喜んで予が奉仕を受けられたる事業委員会代表者、および予がその一員として選ばれたることを至上の誇りとするフランス学士院代表によって伴われたし。同時に、もし規則にして許さるるならば、レジオン・ドヌール帯勲者たる資格によりフランス軍隊儀仗兵による敬礼を受けたし。フランス軍隊は、予が口舌に、文章に、かつまた表決に、つねに擁護を惜しまざりしところのものなり。さらに予は、予が墓に向かいて告別の辞をいたさんとするものあらば、なんら制限なくこれを許可されんことを希望す。

かく記すゆえんは、死後の光栄に関し、空名をねがわんがためにあらず、予はつねに、最後の審判の座につくべき日を思うて、恐懼(きょうく)周章を禁じ得ざるものなり。しかれども予は、瞑想と祈念との確証を身に体し得たる今日、この際真の務めは、いたずらに空疎なる謙遜を排し、もし主のみ心にかなうとならば、予が死にあたり、予の生涯をもってこれを最後に一の軌範たらしめ、われらフランス中産階級に示すに、今後ますますカトリック的信仰と仁愛とに生くべきことを慫慂(しょうよう)するにありと思考す。

それにつづいては《諸事手配の件》という一項。そんなわけで、アントワーヌにはべつに何ひとつ考える必要がなかった。チボー氏は、こうして自分で葬儀の手配万端を整えておいた。一家の首長として、その最後にいたるまで、すべての指導をしたのだった。そして、こうしてあくまで自分の立場に忠ならんとする意思、それはアントワーヌの目に、じゅうぶん偉大なものとしてうつらずにはいなかった。

しかもチボー氏は、死亡通知状の文案さえあらかじめしたためておいたのだった。そして、アントワーヌは、それをそのまま葬儀会社にわたしてやった。そこには、じゅうぶん慎重に考えられたに相違ない順序を追って、チボー氏の肩書が並べてあった。肩書をあげるだけにも、十二行ばかりがしめられていた。《学士院会員》というのは、頭文字で記されていた。そこには単に《法学博士、前ユール県選出代議士》あるいは《パリ司教管区カトリック事業委員会名誉総裁》《社会矯風協会創立者並びに会長》《育児愛護連盟取締役会会長》《カトリック中央互助協会フランス部会前財務委員》などといったような肩書のほかに、さらに次のようなものが並んでいて、アントワーヌをぼうぜんとさせた。《ラトラン聖ヨハネ信者会寄稿家》ないし、《聖トマス聖堂区内諸信心会現会員兼教区委員長》そして、こういうはなばなしい肩書が並べたてられたあとには、勲章目録が記されていて、そこには、レジオン・ドヌール勲章が、聖グレゴワル勲章、聖女イザベル勲章のあと、さらにはクロワ・ドゥ・シュド勲章（以上三種は宗教上の勲章）の次に記されていた。こうした勲章はすべて棺の上にピンで留めるようにとのことだった。

遺言書の大部分は、その多くがアントワーヌのはじめて知った人々なり事業なりにたいする、遺贈を記した長い目録だった。

ジゼールの名が、彼の目を引きとめた。チボー氏は嫁資のかわりに、自分が《育てあげ》《ほとんどわが子》のように思っていた《ジゼール・ドゥ・ヴェーズ嬢にたいし》《おばの老後の世話を条件として》莫大な資産をのこすと書いていた。このとりはからいにより、ジゼールの将来は、まったくなんの不自由もなく保証されたというべきだった。

アントワーヌは、ちょっと読むのをやめた。彼は、うれしさにまっかになった。あの強欲な老人が、これほどな心づかい、これほどな寛容さをしめそうとは、思いもよらないことだった。彼はいま、父にたいする感謝と尊敬の念がとつぜんこみあげてくるのを感じた。それは、引きつづく何ページかで、さらにりっぱにたしかめられていた。じつにチボー氏は、人々を幸福にしてやることをひたすら念としていたらしい。女中たち、家番、メーゾン・ラフィットの植木屋、誰ひとりとして書き忘れられてはいなかった。

小冊子の終わりの部分は、種々の基金計画にあてられていた。それらすべてには、オスカール・チボーの名を冠すべしということだった。アントワーヌは、好奇心からゆきあたりばったりに調べてみた。まず第一にアカデミー・フランセーズへの《オスカール・チボー遺贈基金》。これは、徳行賞として授けられることになっていた。――なるほど、これはありそうなことだった――ついで《オスカール・チボー賞》。これは、五年めごとに、精神科学翰林院（アカデミー・デ・シャンス・モラル）により、《売春撲滅運動、ならびにフランス政府によるこれが容認を停止せしむるため……》――大いに賛成だな――《……資するところありと認められたる》優秀な著作にたいしてあたえられることになっていた。アントワーヌは、微笑を浮かべた。彼は、ジゼールへの遺贈があったことから、知らずしらず寛大な気持ちになっていた。それに彼は、遺言者によってたえず表明されている精神的方面のことにたいしての希望のかげに、いたるところ何かしらひそかな執念――アントワーヌ自身さえ、年の若さにかかわらず、そこからぜんぜんのがれきれずにいるもの――すなわち、何とかしてかぎりあるこの世から生きながらえたいという心づかいのしめされているのをみとめてかなり心に動揺を感じた。

こうした基金類のうち、もっとも無邪気なもの、もっともとっぴな思いつきというものは、《オスカール・チボー年鑑》発行のため、相当莫大な金額がボーヴェーの司教に贈られているということだった。年鑑は《できるだけ大量を印刷し》これを《司教区の全文房具店、全勧工場においてきわめて廉価に発売せしめ》かつ《実用農業ごよみ》の名の下に《日曜日ならびに冬季夜長の休養に際し、こうした興味ある修養談の一巻を、各カトリック家庭に》いれさせようというのだった。

アントワーヌは、遺言書をしめた。彼は財産目録をいそいで調べたかった。膨大な書類を、ふたたびたいようにおさめた彼は、べつに悪い気持ちもせず、思わずこんなことを考えた、《これほど寛大なおやじだとすると、相当な財産をのこしてくれたにちがいない……》

第一の引き出しには、このほかになお、大きな、皮ひもでくくられた皮の折りカバンがはいっていた。そして、それには、心覚えといったように《リュシー》の文字が記されていた。（それが、亡きチボー夫人の名まえだった。）

アントワーヌは、締め金をはずした。いささか心にとがめながら。といって、いまさらどうしてやめられよう！

まず最初には、とりとめのない種々雑多な物。刺繍されたハンケチ。宝石の小箱。その中には小娘用の耳輪が二つ。白繻子（しろじゅす）の腹をつけたぞうげの財布の中には、告解証明書が一枚、これは四つにたたまれていて、インキの跡もいまは読めない。アントワーヌのまだ見たこともない色の変わった何枚かの写真。子供のころの母。十八、九歳の母。彼はいま、およそ感傷とはあれほど縁遠い父にして、こうしたさまざまな形見の品を、しかもいちばん手近な引き出しに入れておいたことにびっくりした。アントワーヌは、かつてのわが母、このさわやかな、快活な少女にたいして、燃えるような思慕を感じた。だが彼は、忘れてしまった母の面ざしを求めながら、じつはとりわけ自分のことを思い浮かべていた。チボー夫人がなくなったとき――それは、ジャックが生まれたときだった――彼は九つか十になっていた。当時の彼は、片いじで、勤勉で、自分のことしか考えないといった少年だった。彼はさらに《かなり冷たい性格》だったことさえみとめずにはいられなかった。彼は、こうしたあまりありがたくないことをみとめつづけるかわりに、折りカバンの、さらに別のポケットをさがしてみた。彼はそこから、おなじくらいの分量の、ふた束の手紙を取りだした。

リュシーより

オスカールより

このあとのほうの束は、細いリボンでしばられていた。そして、上書きの文字は、修道院の寄宿生の、あの斜めになった書体で書かれていた。たしかにチボー氏は、死んだ妻の机の中に、こうしてあった手紙を見つけ、それをたいせつにとっておいたにちがいなかった。
アントワーヌは、あけてみようとして躊躇した。いまでなくても、おそらく読むおりはあるだろう。だが、ひものゆるんだその束を押しやろうとしながら、彼の目は、それらの手紙のいくつかの上に落ちた。それが、ほかの分とはなれ、そこに現実生活が色濃く浮きあがっていたことから、それは、いままですこしも見たことのなかったような、予測さえもしていなかった過去の姿を、やみの中からわきあがらせた。

……会議まえ、オルレアンから手紙をあげようと思っている。だがわたしは今夜、おまえにがまんができるように、また、別れている一週間のその第一日をみごとにこらえることができるように、あらゆる心のときめきを書き送らずにはいられない。もうじき土曜だ。愛するものよ、では、おやすみ。子供を部屋へつれてお行き。そうしたら、いくらかひとりぼっちの気持ちをまぎらすことができるだろう。

読みつづけるまえに、アントワーヌはドアのところへ行った。そして、かぎをかけた。

……愛するものよ、わたしは、心の底からおまえを愛している。おまえのいないことが、この見知らぬ国の雪よりも、冬よりも、さらにわたしの心を凍らす。ブリュッセルでの留置便はあてにしまい。日曜までには、しっかりおまえをだけるだろう。ほかのものには、ふたりの秘密はわからないのだ。いままで誰も、これほど愛しあったものはないのだから……

父の筆でこうした言葉の書かれているのにびっくりしたアントワーヌは、そのままもとどおり束ねてしまう気になれなかった。

だが、すべてが、おなじような熱情で書かれているとはいえなかった。

……おまえの手紙のひと言に、率直なところ、わたしは不満足をおぼえている。リュシー、お願いだ、わたしの留守をいいことにして、ピアノの勉強にむだな時間をついやさないよう。わたしの言葉を信じてくれ。音楽のあたえるそうした一種の興奮は、若い者の感性のうえに悪い影響をあたえるものなのだ。それは人をして、安逸や、常軌を逸した空想に慣れさせ、妻をして、その身分上の真の義務からそれさせる危険があるのだから……

そこには、往々にして辛辣なちょうしさえしめされていた。

……おまえにはわたしがわかっていない。いままでかつて、一度もわかったことがなかった。おまえは、わたしを、エゴイストだといって非難する。そういうわたしは、全生活をあげて、ほかの人々のためにつくしているのだ！　もしもおまえにできるのだったら、ノワイエル司祭に、それについてどう考えるべきかをたずねるがよろしい。おまえにして、その真の意味、その倫理的な偉大さ、その精神的な目的を理解することができたのだったら、わたしの献身的な生活を、主に感謝したてまつり、それを誇りとしなければならない！　しかるにおまえは、これにたいして卑しい嫉妬をいだいている。おまえは、自分自身の利益のため、わたしの指図をきわめて必要としているこれらの事業を、横取りすることばかり考えている！……

だが、大部分の手紙には、深い愛情のあとがしめされていた。

……きのうもたよりがなく、きょうもたよりがない。おまえを必要とするわたしの気持ちは、朝ごとの手紙に、あまりに大きな期待をかけさせる。そして目がさめてみて、そうした路銀が得られなかったとき、一日の仕事からもまったく力がぬけてしまう。しかたがないので、わたしはあのやさしい、ひたむきな、清らかな愛にあふれた木曜日の手紙を、も一度くり返し読んでみた。ああ、主は、わがかたわらに、なんという心やさしい天使をあたえてくだすったことだろう！おまえを、ありのままのねうちにおいて愛し得ないことを、心の中にとがめている。わたしには、おまえがどんな苦情をも言うまいと決心していることがわかっている。だが、わたしとして、自分のあやまちを忘れたようなふりをして、おまえにたいして自分の悔恨の気持ちをかくしておくとは、なんと卑劣なことだろう。

代表一行は大歓迎をうけている。とくにわたしには、きわめて名誉ある席があたえられた。きのうは、三十人の晩餐会、乾杯、等々……わたしの答辞は、大成功だったと思っている。だが、いかなる栄誉も、ぜったい何も忘れさせてはくれないのだ。会議と会議のあいだ、わたしはおまえのことばかり、そして、小さいやつのことばかりを思っている……

アントワーヌは、このうえなく感動していた。手紙の束をもとのところにおさめながら、少し手がふるえていた。《おまえのりっぱなお母さん……》食卓に向かったとき、チボー氏の頭に何か妻にも関係のある思い出が浮かぶごとに、彼は特別なためいきをつき、斜めにつりしょくだいを見あげながら、いつもきまってそう言っていた。思いもかけず、そうしたことに鼻を突っこむことになったアントワーヌは、二十年のあいだ、それとなく父から聞かされていたのにもまして、若いころの両親について、いろいろなことを知ることができた。

第二の引き出しは、別の束でいっぱいだった。

子供らの手紙。園児および在監者。

《ご家族おおぜい、といったところだな》と、アントワーヌは思った。

こうした過去にたいしているとき、彼は、気持ちこそずっと楽だったが、やはり大きな驚きだった。こうしてチボー氏が、アントワーヌの手紙のすべて、ジャックのそれ、さらにいえばめったに書かないジゼールの手紙までをもしまっておき、しかもそれらに《子供らの手紙》の題をつけてちゃんと整頓しておこうなどと、誰に考えられたことだろう。

手紙の束のいちばん上には、第一の手紙がのっていた。日付もなく、母が手を持ちそえて書かせてくれたものにちがいない。はなはだまずい鉛筆書きの子供の手紙だ。

お父さま、ぼくはお父さまにキスします。そして、おたんじょう日おめでとう。

アントワーヌ

彼は一瞬、この有史以前の遺物とでもいったようなものに接して、しんみりした。だが、そのまま先をつづけていった。

《園児および在監者》の手紙は、べつに興味もなさそうだった。

閣下

わたくしたちは今夜レー島（フランス大西洋岸にある島。懲治監あり）へ向かって出発いたします。刑務所を出るにあたり、ひとかたならぬご親切にあずかったお礼を申しあげる機会のないのをざんねんに存じます……

恩人たる先生へ

これを書き、ここに名まえを記しておりますものは、おかげさまで真人間にさせていただいたひとりの男でございます。そうしたわけで、わたくしはここに、父の手紙を同封いたし、先生のご配慮をお願いいたしたいと存じます。ところで、父の手紙のフランス語や文章についてはどうかお気におとめくださいませんよう……わたくしのところのふたりの小さな娘は、毎晩先生のことを《お父ちゃんのお父ちゃん》とお呼び申してお祈りをささげております……

閣下

わたくしは二十六日まえに収監され、しかもあろうことかその二十六日間、事実をはっきり述べた覚書を出しておきましたのに、わずか一回しか判事の取調べをうけませんでした。

《ニュー・カレドニア・モントラヴェル徒刑場》さし出しになっている一通のきたない手紙は、黄いろいインキで巧みに書かれた次のような言葉で終わっていた。

……幸福の日の到来を待ちつつ、感謝をこめて尊敬の微衷を申し進じ候

徒刑囚四八四三号

こうした信頼と感謝のあらゆる表現、こうして父のほうへ差しのべられたあらゆる不幸な腕を見ながら、アントワーヌは感謝せずにはいられなかった。

《ジャックにも読ませてやろう》と、彼は思った。

引き出しの奥のほうに、何も札のはられていない小さな紙ばさみがあった。中には、しろうと写真が三枚、かどのところがめくれあがっていた。なかでいちばん大きな分は、山の風景を背景に、もみの木立のふちに立った三十歳ばかりの女の姿。アントワーヌは、いっしょうけんめいランプのほうへこごみこんだが、まったく顔だちにおぼえがなかった。それに、リボンのついた婦人帽、襟飾りをつけた婦人服、ぐっとふくらませたそで口などが、ずっと昔の流行であることをしめしていた。二枚めの写真は、まえの分より小さく、おなじ人物ではあったけれど、今度は帽子もかぶらず、どこか四つ辻の小さな公園、おそらくどこかホテルの庭とでもいったようなところに、うつむいてベンチに腰をかけている婦人だった。そして、ベンチの下、婦人の足もとには、むく犬が一匹、スフィンクスのようにうずくまっていた。三枚めの写真は、犬だけだった。鼻面をあげ、首にリボンを結んでもらって、庭園用のテーブルの上に立っていた。たとうの中には封筒がはいっていて、その中には大きいほうの写真、山の風景の原版がはいっていた。名も書いてなければ日付もない。子細に調べてみると、姿こそまだすっきりしてはいたにしても、たしかに四十、ないし四十を越しているらしく見うけられた。生きいきした眼差し、それは、口辺に浮かべた微笑にもかかわらず、きわめてまじめなものだった。何か魅力のある顔だち、アントワーヌは、心ひかれて、たとうをしめる気になれずにながめていた。暗示とでもいうのだろうか？　彼にはだんだん、それが見ず知らずの女ではなさそうに思われてきた。

三番めの引き出し、それはほとんどからで、中には古い会計簿が一冊はいっているだけだった。アントワーヌは、あやうくそれをあけてみないでしまうところだった。それはモロッコ皮の古びた帳簿で、チボー氏の頭文字がついており、実際には一度も会計簿として使われたことのなかったものだった。

とびらには、

一八八〇年二月十二日、結婚第一周年にあたり、リュシーより贈らる

と書かれていた。

次のページのまん中には、チボー氏は、おなじように赤インキで、

古代より今日にいたる
『父権史』のための覚書

と書いていた。

だが、その題は、線を引いて消されていた。計画は放棄されたにちがいなかった。《変なことを思

いついたものだな》と、アントワーヌは考えた。《わずか一年まえに結婚して、長男さえ生まれていないのに！》

ばらばらとページをめくるやいなや、がぜん好奇心は燃えたった。白いままにのこされたページは、ほんのわずかしかなかった。筆跡が変わっているところから、何年という長いあいだにかけてつかわれていたことがうかがわれた。だが、それは最初アントワーヌが想像し、またそうあってほしいと思っていたような日記ではなかった。読書のあいだに見つけた引用句を集めたものらしかった。

その文章の選び方には、そうとう意味があるにちがいなかった。そして、アントワーヌは、うの目たかの目で、最初のほうをしらべはじめた。

現在の秩序に、些少たりとも変革をもたらさんと考うることほどおそるべきことなし。

（プラトン）

賢者（ビュフォン）

みずからの状態に満足し、つねにただ、かつてありしごとくあらんと望み、かつて生きたるごとく生きんと思う。みずからをもって足り、ほとんど人に求むるところなし、うんぬん……

これらの引用句のあるものには、まったく思いがけないものがあった。

生まれながらにして、峻酷、苛烈、酷薄なる人々あり。みずからの接するすべての人々をして、おなじく峻酷、苛烈たらしむるところのものなり。

（聖フランソワ・ドゥ・サール）

世には、愛するにあたり、その真情をかたむけ、温情のかぎりをつくして纏綿たるもの、けだしこの予にまさるものなし。しかも予は、いささか愛の過剰にさえ悩むものなり。

（聖フランソワ・ドゥ・サール）

人に祈りのあたえられたるは、日々、顔赤らむることなく、愛のさけびを発せんがためなるべし。

この最後の言葉には、なんの典拠も記してなく、走り書きの書体で書かれていた。アントワーヌは、たしかにそれが父自身の言葉にちがいないと思った。

それに、チボー氏は、このあたりから、引用した本文の中に、自分自身の思索の結果を書きこむ習慣を見せはじめていた。そしてアントワーヌは、ページをひるがえしていきながら、それが、たちまち当初の目的を失ったらしく、もっぱら個人的な随想録といったようなものになっていることをきわめて興味ぶかく思った。
最初のうちは、大部分の箴言が、政治的ないし社会的意味を持っていた。たしかにチボー氏は、何か演説の準備をしているさい、ふと見つけた概念といったようなものを記しておいたにちがいない。アントワーヌは、たえず、《……はないであろうか？》とか《……すべきではあるまいか？》とか、父の考え方なり言葉なりに見られる、きわめて特徴のある否定疑問体の文章に出くわした。

親方の権力は、能力の点からだけをもってしてもじゅうぶん証明することができる。だが、それはもっと以上のものではないだろうか？　生産がますます隆昌になるためには、生産に協力するものたちのあいだに、緊密な精神的一致の成立が必要なのではないだろうか？　そして親方制は、今日、労働者の精神的一致のために、欠くべからざる機関であるとは言われないだろうか？

無産者は、条件の不平等にたいして反抗する。そして、主のおぼしめしによるみごとな《差別》にたいして、不公平だという。
今日、有徳の人は、必然的に、ないしほとんど必然的に恒産の人だという事実を忘れようとする傾向がありはしまいか？

アントワーヌは、一足飛びに二、三年飛ばした。全般にたいする関心は、しだいしだいに内面的なちょうしの省察に変わっていっているらしかった。

キリスト教信者たることにかくも安心を感ずること、それはキリスト教なるものが、同時に現世的勢力だからではあるまいか？

アントワーヌは微笑を浮かべた。《こうした善良な人たちは、すこし熱心すぎたり元気すぎたりすると、しばしば下等社会の人々以上に危険なんだ！……彼らは、すべての人々に強要する——とくに、りっぱな心を持った人々に強要する。——そして、さも真理をたもとの中に持っているかのように確信して、その信念を押しとおすため、何ものの前にもたじろがない……何ものの前にも……おれはおやじが、自分の党派の利益のため、自分の事業の成功のためには、平気でいろいろなことをやってのけたことを知っている……もしそれが、自分のためとか、何か名声を博そうためとか、金をもうけようためとかだったら、おそらくぜったいしなかったであろうと思われるようなことを！》

彼の目は、ページからページへ飛んで、ゆきあたりばったりに拾いあげた。

エゴイズムの、何か正当な、有益な形態、さらにはっきり言えば、エゴイズムを信仰の目的に善用する方法といったようなものはないだろうか？　たとえばそれをもって、われら信者たちの活動力、さらにわれらの信仰心までも育ててくれるような？

次にあげるいくつかの断定的な言いまわしは、チボー氏の人間なり生活なりを知っていないものには、おそらく何か冷笑的なもののようにも思われるにちがいなかった。

事業。われらカトリックの博愛事業（慈善団、聖ヴァンサン・ドゥ・ポール修道会（老人、病者の看護等に従事す）等）の偉大さ、とくにその比類なき社会的効果は、その物的援助の配給が、事実ただ忍従するもの、善良なる心の所有者のみを対象としていて、不満をいだくもの、反抗に燃えるもの、要するに自己の劣悪状態に甘んぜず、口に不公平、要求の声を絶たざるものを支援するという危険をおかさない点に存している。

真の慈善とは、他人の幸福をねがうことではない。

主よ、われにあたうるに、われらが救うべき義務を有する人々にたいし、冷酷であるための力をもってしたまえ。

この思想は、それから何カ月後においても、なお彼の心を悩ましていたものらしい。

すべての人々にたいして冷酷たるべき権利を得るために、まずみずからにたいして苛酷でなければならない。
閑却された徳行のうち、その第一位のものとしては、それが困苦多き修練を必要とするものであることから、予が久しいまえから、わが祈りの中で《剛直》と名づけていたところのものを推すべきではないだろうか？

そして、白い紙の上には、それだけ取り離して書かれた次の言葉が、恐ろしい響きをたてて鳴りわたっていた。

徳行によって、いやおうなしにみずからを尊敬させること。

《剛直！》と、アントワーヌは思った。彼は、父が単に剛直だけでなく――むしろ故意に、かたくなでさえあることを見いだしていた。もっとも彼は、それがたとい不人情にしか到達しないものであったにしても、そうした抑制の中に、一種陰性な美しさを認めずにはいられなかった。《故意にいためつけた感性？》と、彼は心のうちでたずねてみた。おりおり、チボー氏は、自分自身、およびそうまで苦しんでかち得た功徳について悩んでいるかのように思われた。

尊敬は、必ずしも友情を排するものではない。だが、それが友情を生じさせる場合はまれのようである。賛嘆と愛とはおなじものではない。

そして、徳行は、他人の尊信を得ることはあっても、必ずしも他人の心をひらかせるものでない場合が多い。

秘められた苦悩。それは五、六ページ先へ行って、次のようなことまで書かせている。

有徳の人には友がない。主はすなわち、庇護をうけるような人々をおくって、彼を慰めてくださるのだ。

かなたこなたに――もちろんそれはまれにではあるが――人間的なさけびが響きわたり、アントワーヌをしてあっと思わせた。

生来好んで善をなさざるものは、せめて絶望によってなりと、ないし少なくも、悪をなさざらんがためにもこれをなせ。

《こうしたなかには、何かしらジャックらしいものがある》と、アントワーヌは思った。だが、どれとはっきり言うことはできなかった。おなじように圧縮された感受性、その本能の、表面にあらわれていないおなじような狂暴さ、またさまざまな荒々しさ……彼は、ことによると、ジャックの冒険的な性格にたいする父の嫌悪も、ふたりの、その暗黙の性格的類似によって強められているのではないかとさえ考えた。

数多い瞑想が《悪魔のわな》という形式ではじめられていた。

悪魔のわな。真理を求めようとすること。おこがましくも柱をゆすぶり、あわや全殿堂を崩壊させようとしたりするよりは、むしろみずからに忠ならんとして、たとい確信にして動揺しかけているにせよ、なおこれを固持しようとすることのほうが、しばしばより多くの困難、より多くの勇気を必要とするものではないだろうか?

脈絡の精神、それは、真理を求める精神より、もっとすぐれたものではあるまいか?

悪魔のわな。みずからの傲慢心をかくすということ。これは謙虚とはちがう。みずからの欠点を隠そうとして、嘘をつき、みずからを弱めるよりは、むしろみずからが征服し得なかった欠点があからさまにあらわれるのにまかせ、これをもってひとつの力とするほうがずっとまさっている。

(傲慢、虚栄、謙虚、そうした言葉はページごとに顔を出していた。)

悪魔のわな。みずからをつまらないもののように悟ることによってみずからを低くすること。これも傲慢心の姿をかえたようなものではあるまいか？　たいせつなのは、自分について沈黙を守ること。だが、このことは、せめて他人が、自分のことをよく語ってくれるにちがいないという確信がないかぎり、なかなか人間にはできにくい。

アントワーヌは、ふたたび微笑をもらした。だが、その皮肉は、たちまち口のあたりで凍りついてしまった。

次のような平凡な思想、それがチボー氏の筆で書かれているのを見たとき、なんと味けない気持ちにされたことだろうか？

人の一生——たといそれが聖者の一生であろうと——毎日毎日嘘によってわずらわされなかったものがあるだろうか？

それに、アントワーヌが、だんだん年をとっていく父の思い出から想像していたのとは反対に——確信にこわばったチボー氏の心からは、一年ごとにますます平静さが失われていっているようだった。

ひとつの生活の効率、一個の人間の計画の限界、そうした計画の価値、それらは吾人の想像以上に、感情的生活に支配されている。人々の中には、ただかたわらに愛する人の情熱さえあったら、相当な仕事が残せたろうにと思われる人がたくさんいる。

そこには往々、何か秘められた悩みといったようなものさえうかがわれた。

たといまだ実際に犯されないあやまちにしても、それはなおひとりの人の性格に、実際の犯罪とおなじ程度の変化をおこさせ、その内心的生活におなじ程度の損害をあたえうるものではないだろうか？　そこには、何から何までそろっている。あの悔恨の苦しみさえも。

悪魔のわな。隣人への愛と、ある人たちに近づいてこれに触れるときに感じる感動とをおなじもののように考えないこと……

この項は、最後の行が半分で終わっており、それが棒をひいて消してあった。だが、消し方がじゅうぶんでないので、アントワーヌには、消された跡をとおして、次のような言葉が読みわけられた。

……たといそれが若い人たちであり、たとい子供たちであろうとも。

余白には、鉛筆で、

七月二日。七月二十五日。八月六日。八月八日。八月九日。

つづいて、ちょうしのちがった何ページかのあとに、

おお主よ、あなたはわたくしのみじめさを、わたくしの無価値であることをご存じでいらっしゃいます。わたくしには、あなたのおゆるしをうけるだけの資格がございません。なぜかと申せば、わたくしはまだ自分の罪から離れておらず、また離れられないからでございます。どうか悪魔のわなをのがれることができますよう、わたくしの意思をお固めください。

アントワーヌは、とつぜん、父がうわ言をいっているあいだに、ちがった時に二度までも口に出した破廉恥な言葉を思いだした。

こうした自省は、主にたいする不断の呼びかけによって中断されていた。

主よ、あなたが愛していてくださるものは、いま病んでおります。

主よ、わたくしからお目をお離しくださいませんよう。もしこのわたくしを、わたくしなりにおまかせになりましたら、おそらくあなたさまを裏切ることになりましょうから！

アントワーヌは、何枚かひるがえした。

余白のところ、鉛筆で書きそえられた日付に――《九五年八月》とあるのが注意をひいた。

愛するひとの心づくし。わたしは、机の上に、友人の書物を投げ出しておいた。そのページに、新聞の帯封をしおりにしておいた。ところで、けさ、誰がこんなに早く来たのだろう？ ゆうべ、あの人の上着に飾られていたのとおなじ矢車草の花が、そのしおりのかわりにはさまれている。

一八九五年八月？ アントワーヌは、びっくりして、思い出の中に分けいった。九五年とすると、ちょうど彼が十五の年だ。父が、みんなをつれてシャモニー近くへ出かけていった年だった。ホテルででも会ったのかしら？　彼はたちまち、あのむく犬をつれた婦人の写真のことを思いだした。おそらく、あとに何か説明がありはしまいか？　ところが、《愛するひと》については、それ以上何ひとこと語られていなかった。
それでいて、そこから何ページかいったところに、花がひとつ――おそらく矢車草ではあるまいか――平たい、かさかさになった花がひとつ、次のような古典的な引用句とともに見いだされた。

そのひとのうちには、完璧の友たるべきところのものがある。かつまた、きみをして、友情以上の思いにいたらしめるところのものがある。

（ラ・ブリュイエール）

つづいて同年、十二月三十一日の日付で、さも結びの言葉といったように、いかにもジェズイットの学校で教育された人らしい文字が記されていた。

Sœpe venit magno fœnore tardus amor.（おそ咲きの愛こそは、しばしばはげしき力をもってきみを捉う）

だが、アントワーヌは、いかにその九五年の夏休みのことを思いだそうとしてみても、ふくろそでのことも、白いむく犬のことも、何ひとつ思いだせなかった。

何から何まで、今夜読んでしまおうというのはむりだった。それにチボー氏は、さまざまな《事業》に乗りだすことになり、たくさんな仕事にわずらわされはじめていて、最近の十年、十二年というもの、しだいしだいにこの中に書くという習慣を失ったもののようだった。書かれているのは、わずか夏休みちゅうのことにすぎなかった。そして、信仰に関する引用句が、ふたたび豊富になっていた。最後の日付は《一九〇九年九月》で、ジャックの失踪後は、一行も記されていなかった。また病気のあいだも。

最後の何ページかのうちの一枚に、いままでよりずっと力のない筆跡で、次のような、悟りきったような感想が記されていた。

> 人がさまざまの名誉をあたえられるのは、彼がそれに値しなくなったときである。ところが、主は、人をして、あらゆるものをそこない、あらゆる喜び、あらゆる仁愛の源を涸らせてしまう自己侮蔑の気持ちにたえさせてやろうとして、慈悲ぶかいみ心から、それを過分にまであたえようとなさるのではないだろうか？

帳面のあとのほうは、何枚かの白いページで終わっていた。

最後のところ、もくめのついた表紙裏の布のところには、製本師の手によって小さな袋がつくられ、そこに古い書類がつっこまれていた。アントワーヌは、そこから、子供のじぶんのジゼールのおもしろい写真を二枚、日曜のところにすべてしるしをつけた一九〇二年の暦、それに、モーヴ色の紙に書かれた次のような手紙をとりだした。

一九〇六年四月七日

W・X・九九さま

あなたがご自身についておっしゃいましたこと、それをわたくし自身についても申しあげられると思います。ええ、わたくしには、どうしてもああしたことを——ちゃんとした教育をうけたわたくしが、どうしてああした広告を出す気になれたか、自分自身にもわからないのでございます。そして、あなたご自身、新聞で求婚広告をごらんになり、あなたにとってまったくのなぞである見も知らぬ頭文字のぬしに手紙を書く気持ちにおなりだったのに驚いておいでなのとおなじように、このわたくしも驚いているのでございます。と申しますのは、じつはわたくしも熱心なカトリック信者でして、道の掟を堅く守り、一日たりともそれにそむいたことがございません。そして、こうした小説的なことになりましたのも、すくなくもわたくしには、それが主のおぼしめしとでもいったように思われ、わたくしが広告を出し、あなたがそれをごらんになり、それを切り抜いてお置きになったというお心のゆるみも、まったく主のおぼしめしによるような気持ちがするのでございます。夫に死に別れましてから七年、じつのところ日一日と、生活に愛の欠けているのを苦しく思いつづけております。とりわけ、子供を持たなかったため、そうした楽しみもございません。だが、それさえも楽しみとは申せますまい。なぜかと申せば、あなたも大きなご子息をふたりもお持ちになり、つまり《ご家庭》をお持ちになり、しかもわたくしのご想像申しあげるところではひじょうにお忙しい実業家としての地位をお持ちになりながら、やはり無味乾燥と孤独とに苦しんでいるとお訴えになっておいでですもの。ええ、わたくしもまた、あなたとおなじく、主こそ、わたくしたちにこうして愛することの必要をおあたえくださったのだと思います。そしてわたくしは、朝に晩に、主によって祝福された結婚の中に、熱烈な、そして誠実な接触の熱情をそそいでくださるかたをおあたえくださるようにと祈っております。主のおつかわしくださるであろうそうしたおかたにこそ、このわたくしは、熱い心と、幸福のための真の保証ともいえるような、若々しい愛の心をささげたいと思っております。とはいえ、あなたをおさびしがらせするとは知っていながら、あなたのお望みのほどもわかっていながら、わたくしには、ご希望の品をお送り申すことができません。あなたは、わたくしという女についても、また、いまはもうなくなっておりますが、わたくしの祈りの中にいつも生きておりますわたくしの両親たちについても、また、わたくしがきょうまで生きてきた境遇についても、まったくご存じありません。どうかわたくしを、愛にもだえてあの広告を新聞に出した、そのときの心弱さからご判断くださいませんよう。そしてまた、わたくしのような性格のものには、こういうふうにして写真をお送りすることなど、たといそれがどんなによくとれていたにせよ、とてもできないことをおわかりください。わたくしとして喜んでできますことは、それは、クリスマス以来パリのある聖堂区の第一司祭におなりだったわたくしの教導者のかたにおねがいして、あなたが二度めのお手紙にお書きだったV神父さまをおたずねいただくことでございます。わたくしのことにつき、なんでもお話しくださいましょう。さらに、容姿の点につきましては、わたくし自身、あなたがご信頼しておいでのそのV神父さまをおたずね申すことにいたします。そして、神父さまから、あなたへ……

これが第四ページめの終わりに記されていた言葉だった。アントワーヌは、袋の中をさがしてみた。だが、次のページは見あたらなかった。

ほんとに父のことなのだろうか？　それについては疑いの余地がなかった。ふたりの息子、V神父……ヴェカール神父にたずねてみようか？　だがたとい彼にして、この結婚問題に関係があったとしても、おそらくは何も言ってはくれないだろう。

むく犬をつれた婦人かしら？　いや、ちがう。手紙の日付——一九〇六年といえば、たいして遠くない話である。それはアントワーヌが、フィリップ博士の助手として内勤医師をやっていた年であり、ジャックが、クルーイの少年園ですごした年である——そして、比較的最近に属するこうした日付は、カポットや、締まり胴や、ふくろそでとは一致しがたいものだった。つまりは仮定だけで満足すべきだ。

アントワーヌは、帳面をもとのところへもどし、引き出しをしめてから時計を見た。十二時半。《仮定だけに満足すべきだ……》彼は、立ちあがりざま、低い声でくり返した。《人の人生のかすなんだ……》と、彼は考えた。《それにしても、なんというひとりの人の大きな一生！　ひとりの人の一生には、世間の人にはわからないほどの大きさがあるのだ！》

彼は、ちょっとのあいだ、そこから何か秘密でも奪い取ろうとするかのように、自分がいま立ちあがったばかりの、皮張りの、マホガニーのひじかけ椅子にながめいった。そここそは、何年という長いあいだ、チボー氏がどっかと腰をおろし、上体をかがめながら、あるいは皮肉に、あるいは鋭く、あるいは荘重に、そのおりおりの託宣を述べたてていた場所だった。

《いったいおれは、おやじについて何を知っているだろう？》と、彼は思った。まず第一に、ひとつの職務、父親としての彼の職務だ。おれのうえに、またわれら家族のうえに、三十年のあいだ引きつづき行使してきた神権的な支配――もっとも、それを彼がま正直な気持ちで行なっていたことはいうまでもない。ぶっきらぼうで、がんこではあったが、動機はじつにりっぱであり、そしてわれらを、義務を愛するごとく愛していた……そのほか、何を知っているだろう？　人々から尊敬され、おそれられていた、社会的大司祭とでもいったようなおやじ。だがその彼、ただひとり自分自身の前に立っている彼、それはどういう男だったのだろうか？　おれには少しもわかっていない。彼は一度も、おれのまえで、その思想なり、感情なり、つまり何かしら親身なもの、すっかり仮面をかなぐり捨てた、真実な意味での、深い意味での彼をうかがわせるようなことを何ひとつおれに見せてくれなかっ

た！》

アントワーヌは、こうした書類に触れ、こうしたヴェールの一端をかかげ、さまざまなことを知ってからというもの、何か苦しい気持ちで、こうして見かけは堂々としていたひとりの人——それでいながらおそらくは哀れなひとりの人——の死んでしまったこと、しかもそれが自分の父であり、そして、そういう自分に、その父がぜんぜんわからずにしまったことを考えていた。

彼はたちまち、こうしたことを心にたずねてみた。

《だが、このおれについて、おやじのほうでは何を知っていただろう？　もっと知らなかったにちがいない。おそらく何も！　十五年も会わずにいたおなじクラスの友だちでさえ、おやじ以上に知っているにちがいない！　だが、それがおやじの罪だろうか？　むしろこのおれの罪ではないだろうか？　教養に富んだこの老人、おおぜいのすぐれた人々の目から見て、慎重な、聡明な、りっぱな意見の所有者として考えられていたこの老人。しかるに、このおれは、その息子たるこのおれは、他人の意見をたずね、おやじを除外して自分の決心をきめてから、ほんの形式だけに彼の意見をきいていたにすぎなかった。ふたりたがいに向き合っているとき、そこにはおなじ血を分け、おなじ性格のふたりの人が対していながら、そのふたり、父と子のあいだには、たがいの意思を通わすなんの言葉も聞かれず、また、疎通するためのみちもなかった。つまりふたりの他人というだけだった！　だが、それでいて、それともちがうぞ！》と、彼は、縦横にいく足か歩きまわったあとでつづけた。《それはちがうぞ。おれたちたがいに他人ではなかった。そして、それが何よりおそろしいのだ。ふたりのあいだにはきずながある――否定すべからざるきずながある。そうだ、父から子へ、子から父へのこのきずな――おれたちの関係を思ってみるとき、そうしたものの存在を考えるだけでもばかばかしいが――比類のない、たったひとつのそうしたきずなが、厳として、ふたりの心の底に存在していた！しかも、そうしたきずながあったればこそ、おれはいま、こうした煩悶におそわれている。おれはいま、生まれてはじめて、そうしたぜったいの無理解のかげに、何か隠れたもの、うずもれたもののあること、すなわち理解のための可能性、いや理解のための特別な可能性さえ存在していることをはっきり感じる！　そして、おれはいま、はっきり、たとい事情はどうあろうと、――たといふたりのあいだに、なんら意思疎通のしるしさえも認められなかったにせよ――事情いかんにかかわらず、この世の中で、髄の髄までおれにわかってもらえる人間、同時にまた髄の髄まで一気にこのおれのわかる人間――ジャックもいれて、だ――それは父以外にぜったいなく、今後もぜったいにないだろうことが感じられる……これはいったいどうしてなのだ？　つまりは彼がおやじであり、おれが息子であるからなんだ！》

彼は、おりから玄関へ向かったドアのところに立っていた。《寝ることにしよう》と、彼は思った。

明かりを消すまえ、彼はうしろをふり返り、いまはからになった蜂の巣とでもいったような書斎の中を、もう一度ぐるりと見まわした。

《しかも、もういまとなっては手おくれなんだ》と、彼は結んだ。《もうだめだ、永久にだめになってしまったんだ》

ひと筋の光が、食堂のドアの下からもれていた。

「シャール君、早く帰ったがいいですよ！」アントワーヌは、ドアを押しながら大きな声で言った。

シャール氏は、ふたかわに積みあげた通知状のあいだにかがんで、封筒書きをやっていた。

「あ、あなたでしたか？　そうそう……ちょっとおひまがおありでしょうか？」シャール氏は、かがみこんだままで言った。

アントワーヌは、あて名のわからないのがあるのかと思って、なんの警戒もなしにそのそばへよった。

「ほんのちょっとでございますが？」シャール氏は、書きつづけながらくり返した。「え？……じつはこのあいだお話し申しあげたことのご説明をいたしたいので——あの小資本のことでございますが」

彼は、相手の返事も待たずにペンをおき、入れ歯を抜いてから、いかにも陽気そうなようすで相手をみつめた。おころうにもおこれないしろものだった。

「シャール君、きみねむくないですか？」

「どういたしまして！　こうして目のさめておりますのも、じつは考えごとをしているからなんでございまして……」彼は、そのずんぐりした上体を、立ったままのアントワーヌのほうへかしげてきた。「こうやってあて名を書いております。いっしょうけんめい書きつづけております……が若先生、そうしておりますあいだも……」（彼は、種あかしをしようとする人のいい手品師とでもいったような、いたずらめいた微笑を浮かべた。）「だが、そうしておりますあいだも、それからそれへと、気随気ままに考えがわいてまいりまして！」

そして、アントワーヌに、話をはずすきっかけをあたえずに、

「ええ、問題の小資本のことでございますが、じつはその思い立ちのひとつを実行してみられることになったのでございます。はい、わたくしの考えました《陳列館》なんでございます。つまり、これは略称でございましてな。陳列館。事務所と申してもよろしいでしょう。つまり一個の店ですな。さよう。なにしろ一軒の店でございます。当地方の繁華な町に、店を一軒こしらえます。店の問題、これは要するに外がまえ。大事なのはその着想でして。それは中味の問題なのでして」

ちょうどいまのように、話に夢中になったときには、彼はいつでも両手を伸ばしてそれを組み、右に左にからだをかしげて、短い、息切れでもしたような言葉で話すのだった。ひとつひとつの文句のあいだで、ちょっと言葉をきっては、頭の中で次の言葉をととのえるのだった。まるで、おなじひとつの歯どめ仕掛けが、彼の上体を動かすと同時に、考えていた言葉を吐き出させるとでもいうようだった。つづいて彼は口をつぐんだ。それは一度に、ひとつの考えだけしか産み出せないとでもいうようだった。

アントワーヌは、ことによったら、シャール氏の頭が、いつもより平衡を失しているのではないか

と考えた。ああしたいろいろなことのあとでもあり、それに徹夜つづきのことでもあるし……

「ラトッシュでしたら、もっと詳しくお話し申せましょう」と、シャール氏は言葉をつづけた。「ずいぶんまえからの知りあいでして。前身についても、りっぱなうわさをきいております。まずえり抜きの人物ですな。いつも名案を持っております。このわたくし同様。しかも、そうしたふたりが、すばらしい着想、例の《陳列館》を思いついたのでございます。《現代的発明品陳列館》……おわかりでしょうか？」

「どうもはっきりのみこめないね」

「つまり、いろいろな小発明のことでして。実用的な、小発明のことでございまして！　つまりヒントだけは見つけても、どうしようもないといったような小発明家どもを、彼とわたくしとでまとめようというわけでして。そして、当地方のあらゆる新聞に広告を出す……」

「当地方って？」

シャール氏は、質問の意味がわからなかったように、じっとアントワーヌの顔をみつめた。

「ご生前でしたら」やがて、しばらく黙っていたあとで言葉をつづけた。「恥を覚悟いたさなければお話しできますまい。でもいまでしたら……すでに、十三年もまえから、ああでもない、こうでもないと考えつづけておりました。博覧会以来。しかも、わたくしひとりで、いろいろ有名な小発明をいたしました。さよう。歩数をかぞえるのに使う、かかとに記録計のついた靴だとか、自動的な、そして永久の使用に堪える郵便切手の湿し器とか」彼は、椅子から飛びおりて、アントワーヌのほうへ歩みよった。「しかし、何よりすばらしい発明は、卵——四角な卵の発明ですな。いまはただ、それに必要な薬液さえ見つかればよろしいのでして。いろいろな研究家たちと手紙のやりとりをいたしておりますす。田舎の司祭さんたち、これがきわめて有望な相手でして。冬、アンジェラスのお祈りをすましてからは、いろいろ実験がおできになりますからな。薬液発見のためにいろいろご助力を願っておりますす。さてその薬液さえ見つかりましたら……ところで、薬液なんぞは、けっきょく問題ではございません。むずかしいのは、着想だったのでございます」

アントワーヌは目を見はった。

「薬液さえ見つかったら？……」

「つまり、その中に卵をつけます……卵をいためず、殻だけやわらかくなるといった程度に！……おわかりでしょうか？」

「わからないね」

「それを今度は、型に入れてかわかします……」

「四角な型かね？」

「おっしゃるとおりで！」

シャール氏は、切られたみみずといったように、からだをよじりながらうれしがった。

「何百、何千という数でございます！　工場をひとつ建てます！　四角な卵！　卵立てなんぞはいりません！　四角な卵は、ちゃんとそのまま立っております！　殻は殻で、あとまで家庭の役にたつ！　マッチ入れ、からし入れ！　四角でしたら、パンやシャボンとおなじように、ちゃんと箱におさめられます！　そうなれば、送るときにも、ねえ、あとはお察しいただけましょう？」

彼は、ふたたび《補助椅子》の上にあがろうとした。ところがたちまち、何かに刺されでもしたように、いきなりそこから飛びおりた。顔はまっかになっていた。

「ごめんください。ちょっと失礼させていただきます」と、彼はドアまで行きながら、つぶやくように言った。

「膀胱がどうもいけませんので……神経性でございますな……ちょっとでも卵の話をいたしますと……」

十一

その翌日は日曜だったが、ジゼールはもう疲れも感ぜず――熱もすっかり落ちてしまったらしかった――かえって、待ちきれないような気持ちで、さっそうとして目をさました。教会に行くにはまだからだが弱っているので、午前中は家にいてお祈りと静思をすることにすごした。彼女は、ジャックの帰って来たことによる自分の立場について、きっぱり考えられないことが腹だたしかった。いま自分には、何ひとつはっきりしたものがない。そして、けさ、すっかり夜が明けてみると、ゆうべ、ジャックがたずねて来てくれたあとで、失望とでもいったような、ほとんど絶望とでもいったようなあと味を感じたことさえ、どうもはっきりなっとくできなかった。はっきり話しあいをつけなければ。そして、すべての誤解を一掃しなければ。そうすれば、すべてははっきりしてくるのだ。

だが、午前中、ジャックは姿をあらわさなかった。アントワーヌさえ、納棺の日以来、ほとんど姿を見せなかった。おばと姪とは、さし向かいで昼食をすました。そして、ジゼールは自分の部屋へもどっていった。

午後は、霧がかかり、さむざむとして、陰気なうちに過ぎていった。

ひとりきりで、所在なく、いろいろ偏執観念にいためられつづけていたジゼールは、とうとうたまらなくなって、午後の四時ごろ、おばがまだ降臨式に行っているあいだに、外套に身を包み、一気に下までおりていくと、レオンに言いつけてジャックの部屋まで案内させた。

彼は、窓ぎわのところで、椅子に腰をおろして新聞を読んでいた。

そのシルエットは、青白いガラス窓のうえ、逆光線をうけて浮かびあがっていた。そして、ジゼールは、いまさら彼のがっしりしているのに驚かされた。彼からはなれてしまうやいなや、彼女はすぐに、彼がどんな男になったのかも忘れてしまっていた。そして三年まえ、メーゾン・ラフィットの木かげでしっかりだきしめてくれたときの、あの子供らしい顔だちの青年だけしか思いだせずにいたのだった。

彼女は、最初ひと目見ただけで、その印象を分析してみるまでもなく、ジャックがたたみ椅子に斜めに腰かけている、そのかけっぷりに気がついた。そして、散らかった部屋の中、すべてのものが(ゆかの上にあけたままになっているスーツケース、とまったままの置き時計の上の帽子、物のおき場所にされているデスク、書棚の前の二足の靴)、ほんの仮の宿り、二度と昔の習慣をとりもどすつもりのない、かりそめの場所にすぎないことを語っているのに気がついた。

ジャックは、ジゼールを迎えようとして立ちあがっていた。いささかの驚きを見せたその青い眼差しの愛撫を身近に感じた彼女は、すっかりあがってしまい、こうしてやってきたことをもっともらしく思わせようと思って、あらかじめ用意してきた言葉も忘れてしまった。そして、頭の中には、ただ真実の気持ち、はっきり事実を知りたいというたまらない気持ちだけしかなかった。彼女は、あらゆる技巧をかなぐりすて、まっさおな顔をしながら、勇ましく、部屋のまんなかに立ちどまったと思うと、こう言った。

「ジャックさん、あたし、あなたとお話ししなければならないのよ」

いかにもやさしく自分を迎えてくれようとした眼差しの中に、彼女は、ちらと、きわめて短い、強いひらめきを見てとった。だが、それは、見てとったと思うまもなく、ほとんどすぐに目ばたきによって消されてしまった。

ジャックは、ちょっと苦しそうな声で、笑ってみせた。

「やれやれ、いやにしかつめらしいんだな!」

こうした皮肉に、彼女はぞっとした。彼女は、それでも微笑した。だが、ふるえをおびたその微笑は、やがて苦しそうなけいれんにかわってしまった。目には涙があふれてきた。彼女は顔をそむけると、いく足か歩いて、寝台椅子のところへいって腰をおろした。だが、頬を流れる涙をふかなければならなかった彼女は、ちょっと快活らしいようすを見せるつもりで、非難するようにこう言った。

「あら、もうあたしを泣かせたりして……いやだわねえ……」

ジャックは、心に憎しみのわくのを感じた。そうした性格の彼なのだった。子供のころから、その心の底に持ちつづけていた怒りの気持ち——彼はそれを、地球の中心が燃えつづけているのに似ていると思っていた——陰性な憤怒の気持ち、深く人を恨む気持ち、それはおりおり燃えさかる溶岩のようにほとばしり出て、何ものもさえぎりとめることのできないものだった。

「そうか、よかろう、言ってみるがいいや！」と、彼はむらむらする憤怒をこめてどなった。「ぼくのほうでも、早く話がつけたいんだから！」

ジゼールのほうでは、こうした乱暴な応対をうけようなどとは予測さえもしていなかった。そして、彼女は、こうしたはげしい言葉の中に、自分の問いにたいする回答がすでにはっきりなされているのを見てとりながら、唇からは血の気がうせ、それをなかばひらいたまま、ほんとに彼からたたかれでもしたように、椅子のもたれに身をよせかけた。身を守るためには、手を前へさし出すよりほかにみちがなかった。そして、いかにも悲痛な声をふりしぼると、ささやくように《ジャコ……》と言った。それを聞くなり、ジャックははっとひきもどされた。

すべてを忘れてしまった彼は、なんのきっかけもなく、きわめて攻撃的な敵意から、きわめて自然な、きわめて夢のような愛の興奮へと移ってしまった。彼は、寝台椅子のところへ走りより、ジゼールのそばへ身を投げると、しゃくり泣く彼女を胸にだいた。彼は、口ごもるように「ジゼール……ジゼール」と、よびつづけた。彼は、ま近にジゼールのつやのない皮膚、またその目のまわりの、透きとおった暗いくま――そのため、自分のほうへあげているぬれた眼差しが、さらに悲しく、さらにいとしいものに見えている、そのくまなどをながめやった。だが彼は、おどろくほど早く、全面的な、さらに潑剌としてさえいる聡明さをとりもどした。彼は、ジゼールの髪に鼻をうずめ、そのうえにうつむきながらも、まるで他人にでもたいするように、こうした肉体的な魅力のあいまいさを、はっきり見てとった。とまれ！　いままでにもすでに一度、彼はあやうく同情への道に足をとられようとしながら、自分たちふたりのため、あぶないところで手綱をひきしめ――逃げ出さなければならないことがあった。（もっとも、そのとき、ふたりが陥ろうとしていたつまらない危険を、彼がみごとに推しはかり、推論し、識別することができたというのも、けっきょくそのときの誘惑が、平凡なものだった証拠ではなかったろうか？　そして、ふたりが、あやうくその犠牲になろうとした、あの移り気なまやかしが、けっきょくどの程度のものだったかを語るものではなかったろうか？）

彼はすぐに、たいした努力をする必要もなしに、自分の唇があやうく触れかけていた、彼女のこめかみのうえへのやさしいキスを思いとどまることができた。彼はただ、ジゼールの肩にやさしいキスをしてやり、指先で、ほのぬくい、やわらかな、まだ涙にぬれている頰のあたりをゆっくりなでてやった。

ジゼールは、ぴったり彼にからだをよせ、胸をおどらせながら、頬を、首を、襟首を、相手の手の触れるままにしていた。彼女は身動きもしなかった。だが、すぐにもジャックの足もとに身をすべらせ、ひざをだきかけていた。

それと反対に、ジャックのほうでは、自分の脈搏が、一秒ごとにゆるやかになっていくのを感じていた。彼はいま、ほとんど大胆不敵といっていいほどの平静さに立ちもどっていた。一瞬、ジゼールが間欠的にそそりたてている平凡な欲情のことを思った彼は、相手を憎いとさえ考えていた。そのためか、ジゼールをいささか軽蔑してさえいた。と、ふたたび潑剌さをとりもどしたジェンニーの姿が、ひらめくかと思うとたちまち消えさる光のように彼の頭の中を通りすぎた。彼は、あらためてすべてを考えなおしてみながら、わが身のことをかえりみて恥ずかしく思った。ジゼールは、自分などよりずっと人のいい女なのだ。三年会わずにいて、しかも、そっくりそのまま見いだすことのできたこうした従順な動物そのままの燃えるような感情。あらゆる危険をものともせず、いささかも臆せず、毅然として受け入れた悲痛な運命に——恋する女としての運命にめくらめっぽう身をまかせているその態度。これこそは、彼自身感じることができたと思っている感情などにくらべて、もっと強い、もっと純粋な感情にちがいなかった。彼は、それらを、何かしら無感覚な気持ちで考えてみた。根底において冷然たる気持ち——それは彼をして、なんら危険のおそれなしに、ジゼールにたいし、きわめてやさしい態度をとることをゆるしてくれるものだった……

こうして、彼の考えは、つぎからつぎへとうつっていった。それに反してジゼールは、ひたむきに、ひとつのこと、ただひとつのことしか考えなかった……そして、ひたすら恋の思いに燃えた彼女は、ジャックから発するあらゆるものを受け入れ、それにたいしてきわめて敏感だった。彼女は、ジャックが少しも口をきかず、少しも態度に変わりを見せず、押しつけた頰をなでつづけてくれていながら、ただ唇からこめかみへかけての指の往復、そのやさしい、うわのそらのやり方だけで、たちまちすべてをさとってしまった。彼女はいま、あらゆるきずなが永遠に断たれてしまったこと、彼にとって、自分がもはや何ものでもないことをはっきりさとった。

いまはなんの希望もなく――さも、明白な事実をはっきりしめすといったように――そして、自分の立場をきっぱりきめてしまいたいと思って、彼女はとつぜんジャックから身を離すと、じっと彼の目の中を見つめた。彼には、自分の冷ややかな眼差しをかくすだけの暇がなかった。そして、今度という今度、ぜったいはっきりと、すべてが収拾できなくなったことが確認された。

だが、彼女は、同時にそれが自分に向かって言われ、そうしたおそろしい事実が、終生ふたりの忘れ得ないであろうような的確な言葉で言われることに、子供らしい恐怖を感じていた。彼女は、心弱さから、ジャックにその狼狽ぶりを気づかれまいとして固くなった。彼女には、ジャックからさらに身を遠ざけ、微笑を浮かべ、なんとか言うだけの勇気がのこっていた。

彼女はあいまいな身ぶりで部屋を見まわした。

「あたし、このお部屋にいつからこなかったかしら？」と、彼女はつぶやくように言った。

その言葉を裏切って、彼女はおなじ長椅子のうえ、自分が——アントワーヌのそばに腰かけていた最後の日のことをはっきりおぼえていた。あの日の自分は、ずいぶん苦しかったらしかった！　ジャックのいないこと、自分の身をつつむ堪えがたい不安のこと、それらを、世にもおそろしい試練ででもあるかのように思っていた。だが、それらにしても、きょうのこの苦しさにくらべたらなんであろう？　あのころは、ただ目さえとじたら、ジャックは彼女の呼びかけに応じて、こうあってほしいと思う姿で、すぐ目のまえに浮かんでくれた。それがいま！　こうして彼が見つかったいま、彼なしに生きるというのがどういうことか、しみじみわからせてくれたのだった！　《いったいどうしたというんだろう？》と、彼女は思った。《どうしてこんなことになったんだろう？》きりきりさしこむ懊悩に、彼女はしばらく、目をつぶっていないではいられなかった。

ジャックは、電気をつけに立ちあがった。そして、窓のところへ行ってカーテンを引いた。だがそのまま、腰をおろしにはこなかった。

「かぜをひいた？」彼は、ジゼールのふるえているのを見てたずねた。

「だって、このお部屋、あんまり暖かくないんですもの」彼女は、それを口実にした。「自分の部屋へ帰ったほうがいいらしいわ」

そう言った声によって沈黙が破られると、いくらか心も引き立ち、しっかりしてきたように思われた。こうした何げない見せかけによってくみとることのできた力、それはきわめてはかないものではあったけれど、彼女はどこまでも嘘をとおさずにはいられないで、なおしばらくのあいだ、ちょうど烏賊が墨を吐くといったように、断続的に、ものを言いつづけていた。いっぽうジャックも、立ったまま、自分もそれに乗ってやりながら、微笑とともに賛成の意味をしめしてやっていた。今夜もまた、こうして言いあらそいをしないですむのを、はっきりそれと意識しないで、うれしく思っているらしかった。

そうこうするあいだに、ジゼールはやっと立ちあがることができた。ふたりは、顔を見かわした。ふたりとも、ほとんどおなじ背たけだった。彼女は心にこう思った。《あたし、どんなことがあったって、けっしてこの人なしではいられない！》それは、もうひとつの考え——《この人は強いんだ。この人は、あたしなんかなしでもちゃんと平気でいられるのだ！》——という堪えがたい思いに、まともからぶつからずにすむための方法だった。彼女の頭には、とつぜん、《ジャックはこうして、その男らしい冷ややかな残忍さで、自分の運命を選びあてた。それに反して、あたしには、……そうだ、自分には自分の運命を選ぶことはおろか、ほんのわずかなりと、その運命の方向を定めることさえできずにいるんだ》といった考えがひらめいた。

彼女は、とつぜんこうたずねた。

「いつおたち？」

彼女は、何げないちょうしで言っているつもりだった。

ジャックは、自分をおさえながら、二、三歩ふらふらと踏み出した。それから、からだをなかばふり向けると、

「きみは?」と、言った。

自分がたしかにまた出発しようと思っていること、またジゼールもフランスにとどまっているはずがないと思っていることをしめすため、これ以上明らかな言い方があったろうか?

彼女は、肩であいまいな身ぶりをしてみせた。そして、最後にも一度微笑して見せようとつとめながら――彼女は、それをかなりみごとにやってのけた――ドアをあけて出ていった。

ジャックは、ひきとめようとしなかった。そのかわり、とつぜんわきおこった清らかな愛の思いをこめて、じっと彼女を見送っていた。彼としては、なんの危険も感ぜずに、彼女をだいてやり、彼女をゆすってやり、彼女を守ってやりたかった……だが、何から守ってやるというのだ? つまりは彼女自身から。この自分自身から。彼自身彼女にあたえている苦しみから(もっとも彼は、ただ漠然とそれに気がついていただけだったが)。これからも彼女にあたえるであろう苦しみ、また、この後もあたえずにはいられないであろう苦しみから……

ジャックは、両手をポケットに突っこみ、両足をひらいて、乱雑な部屋のまんなかに突っ立っていた。足もとには、さまざまな色のラベルの張られたスーツケースが口をあけていた。

彼は、アンコーヌで――あるいはたぶんトリエステで――ほとんど灯火(ともしび)のさしていない中甲板の上、何やらわからない方言でののしりかわしている移民たちにとりまかれて立っていたときの自分の姿を思い浮かべた。耳を聾(ろう)せんばかりのうなり声が、船の横腹をゆすっていた。つづいて、がちゃがちゃいう鉄のひびきが、あたりの喧噪を圧して聞こえた。錨があげられる。船の動揺は、ますます大きくなっていく。と、たちまち、あたりはすっかりしんとなる。船が出たのだ。船は、夜の中へ乗り出していた！

ジャックの胸は高鳴った。何かわからぬひとつの戦い、ひとつの創造、また自分自身の充実にたいする病的なあこがれ、それがいま、この家、死んだ父、ジゼール、さらにはまたさまざまなわなや鎖でいっぱいのあらゆる過去にたいして打ちあたっていた。

「逃げだすんだ！」彼は、ぐっとあごをかみしめながらどなった。「逃げだすんだ！」


ジゼールは、エレヴェーターの腰掛けの上にへたへたとからだを落としていた。このまま、部屋へ帰る気力があるだろうか？

そうだ、とうとうなるべきようになってしまった。あの話しあい――彼女は、何はともあれそれに十二分の希望をつないでいた――それもいまでは終わってしまい、ぜんぶ決済というわけだった。とりかわされた応答四つ、それですべてはすんでしまった。《ジャックさん、あたしあなたとお話ししなければならないの！》彼は、それに答えて言った。《ぼくのほうでも、早く話がつけたいんだ！》それにつづいて双方からのふたつの質問。これにはおのおの答えがなかった。《いつおたら？》《きみは？》彼女はいま、ぼうぜんと、この四つの言葉を心の中にくり返していた。

ところで、これからどうしたものか？

しんとした大きな部屋――その奥には、ふたりの童貞さんが棺をまもっている部屋。つい三十分まえ、彼女がそこで考えていた希望もいまや跡かたのないものになってしまったその大きな部屋を見ると、彼女の胸ははげしくせまってきて、ひとりきりになることのおそろしさが、心の弱さ、ないし身を休めたいという欲求以上に強くつよく感じられた。彼女は、いそいで自分の部屋へもどるかわりに、おばの部屋へはいっていった。

おばは帰っていた。おばは、たびたびそうやっているように、計算書、見本、案内書、薬品などを雑然とつみ重ねた机の前にすわっていた。おばは、足音でジゼールであることを知った。そして、折れ曲がったからだを彼女のほうへふり向けた。

「ああ、おまえさんかい?……ちょうどよかった……」

ジゼールは、よろめきながらおばのほうへ駆けよると、その白い前髪の分けめのところ、ぞうげのようなひたいの上にキスをした。そして、腕の中に身をうずめるにはあまりに大きくなりすぎた彼女は、子供のように、ひざのうえに身を投げた。

「ちょうどよかった、わたしおまえさんに聞いてみたいと思っていた……あの人たちは、あと始末のことや消毒のことについて何か言ってはいなかったかね?……なにしろ、それについてはちゃんと法律があってね! クロティルドに聞いてごらん。そしておまえの口から、アントワーヌさんに話しておくれ……まず第一には市の消毒所。それからあとで、念のために、薬剤師の燻蒸消毒をやってもらうのさ。クロティルドが知ってますよ。すっかり目ばりをしてね。その日は、おてつだいをたのみますよ……」

「だっておばさん」ジゼールは、こみあげる涙を目にたたえながらつぶやいた。「あたし、また行かなければならないのよ……帰って来るって言っといたんだから……あっちへ……」

「あっちへだって？　こんな場合に？　では、わたしをひとりぼっちにしておくつもり？」神経質に頭をゆすりながらの、とぎれとぎれの言葉だった。「七十八にもなって、こんなになったこのわたし……」

《出かけよう》と、ジゼールは考えていた。《そして、ジャックも出かける。万事このまえのときとおなじように。ただ、そこに希望がないというだけのちがいなのだ――ああ、もうぜったい、そこにはなんの希望もない……》こめかみのあたりがずきずき痛んでいた。頭の中では、何が何やらわからなくなっていた。いま、彼女には、ジャックというものがまったくわからないものになっていた。そして、このことこそ何にもましてつらかった。彼がわからなくなったということ。遠くはなれているかぎり、いつもあれほど理解できていた彼だったのに！　どうしてこんなになったのか？

彼女は、われとわが心にたずねてみた。《修道院へでもはいろうか？》永遠のやすらぎ。主イエスのやすらぎ……

だが、すべてを捨てること！　すべてを捨てること……そんなことができるかしら？

彼女は堪えきれなくなって、わっとばかりに嗚咽（おえつ）をはじめた。そして、なかばからだを起こしたと思うと、とつぜんおばをだきしめた。

「ああ」と、彼女は苦しそうに言った。「まちがってるんだわ！　何から何までまちがってるんだわ！」

「何がまちがってるってお言いなのさ？　え、おまえさん、いったい何を言っておいでなのさ？」

おばさんは、不安と同時に、不服そうにこうつぶやいた。

ジゼールは、力なくゆかの上にひざまずいていた。彼女は、おりおり、何かよりどころなり、誰かそばにいてくれる人なりを求めたい気持ちで、その頬を、おばのひざが突き出ているあらい毛織物の地の上にすりつけていた。そしておばは、首をふりふり、とがった声でくり返していた。「七十八にもなって、ひとりぼっちにされるなんて。しかも、こんなになったこのわたしが……」

十二

クルーイでは、少年園の小さな御堂（みどう）はいっぱいになっていた。寒さにもかかわらず、戸口という戸口はひろびろとひらかれていた。そして、群衆に踏まれた雪が、まるで泥のシャーベットのようになっている中庭では、すでに一時間もまえから、二百八十六人の在園児童が、腰にピストルのケースをつけた制服姿の監守たちにとりかこまれ、新しい服の上に真鍮の金具のついたバンドを締め、頭には何もかぶらず、身動きもせずに並んでいた。

ミサは、ヴェカール神父が行なっていた。だが、赦禱のためには、こもったバスの声の持ちぬしであるボーヴェーの司教がやってきていた。

賛美歌は、つぎつぎに高まっては、しばらくのあいだ、響きのよい脇間のあたりの沈黙の中にただよっていた。

「天にましますわれらの父よ……」

「主よ、彼に永遠のいこいをあたえたまえ……」

「やすらかにいこわせたまえ……」

「アーメン……」

ついで、トリフォリウム(柱の並んでいる廊下)のところにいた六重奏団が、最後の曲を奏しはじめた。けさから、目にふれる光景に絶えずその考えをかき立てられ、かき乱されていたアントワーヌは、いまこんなことを考えた。《人間というやつは、とかく葬式というと、いつもきまってこのショパンのマーチを演奏する。ところで、このマーチたるや、たいして抹香くさくなんぞありはしない! ほんのつかのまの悲しい気持ち、そして、そのあとではたちまち歓喜の復活、空想へのあこがれ……、つまり、結核患者が自分の死を考えての、あのむとんじゃくさというやつなんだ!》彼は、これもまた音楽家で、入院患者だったデルニーの、その臨終に近い日々のことを思いだした。《みんなはあれを聞いて心を動かされ、その中に、天国を見いだした臨終の人の恍惚感が見られると思っている……

だが、じつのところ、われわれから考えると、それは病の持つひとつの性質、病症のしめすひとつの徴候にすぎないとさえ言えるのだ——ちょうど体温とおなじように！》

それに、彼は、この場合、悲痛きわまる絶望をしめすことなぞ、はなはだ不似合いであることをみとめないではいられなかった。いまだかつて、これほど公式的な荘重さをつくした葬式はなかった。彼は——来たかと思うとすぐ群衆の中にまぎれこんでしまったシャール氏を別として、——この場におけるただひとりの《近親者》だった。いとこたちとか、遠縁にあたる親戚たちは、パリでの式には参列したが、こうした寒さのおり、わざわざ何もクルーイくんだりまで出かけることもあるまいと思ったのだった。参列者は、もっぱら故人の同僚、それに慈善団体の代表者たちだった。《代表者たちか》と、アントワーヌは、陽気な気持ちで考えた。《このおれ自身も、家族代表というわけなんだな》だが、彼は一脈のさびしさとともに考えつづけた。《だが、友人といってはひとりもきていないな》それは《このおれにも、友だちはひとりもいない、それもいまさらむりもないが》こうした意味にほかならなかった。（父に死なれてみると、彼は、いまさらのように、自分に、ひとりの個人的な友人もいなかったことを認めないではいられなかった。ダニエルを除いて、おそらく彼には、同僚以外、友人といってはひとりもなかった。それも自分が悪かったのだ。彼は長いこと、他人を念頭におかずに暮らしてきた！　しかもつい数年まえまで、そうした孤独をむしろ誇りにさえも思っていた。そしていま、彼にははじめてそれがつらく思われだしていた。）

彼は、係の人たちの行ったり来たりするのを、ものめずらしげに見まもっていた。《で？》彼は、司祭が香部屋に姿を消すのを見ながら、われとわが心にたずねてみた。
　みんなは、葬儀社の連中によって、御堂の入口に据えた葬龕の上に柩の運ばれて来るのを待っていた。このとき、葬儀係の男は、ぱっとしない舞踊教師といったようなぎごちなさで、敷石のうえ、黒いつえを悲しそうに鳴らしながら、アントワーヌの前に来て頭をさげた。つづいて、葬列は、ながながと、追悼演説を聞くために、ポーチのところへ行って一団になった。アントワーヌは、からだをしゃんと立て、もっともらしいようすで、自分がおおぜいの人に見られているぞといった気持ちにささえられながら、従順に、儀式の命ずるままにやってのけた。人々は、垣をつくり、チボー氏の令息のあとから、郡長、コンピエーニュ市長、衛戍司令官、種馬飼育所長、フロック姿のクルーイ村会議員全部、パリ大司教猊下代理の若い名義司教（教区を持たない司教のこと）、それに、人々がたがいにその名をささやきかわしている有名な人たちのあいだに、友人たる資格において同僚の遺骸に敬意を表しに来たいく人かの精神科学翰林院の会員など、そうした人々の行くのを見ようとひしめきあっていた。

「諸君！」と、しっかりした声が響きわたった。
「わたくしはここに仏国学士院の名において、悲しくも……」

　それは、有名な法曹家ルダン・コスタールだった。頭ははげ、でっぷりふとって、襟に毛皮のついている外套にきっちりからだをつつんでいた。彼は、わざわざ、故人の生涯にわたって述べたてた。

「……氏は、その青年時代を、父君の工場からほど遠からぬあたり、ルアン高等中学校にあって、勤勉熱心な学生としてすごされました……」

アントワーヌは、賞品の書籍の上にひじをついている、一枚の中学生の写真のことを思いだした。《おやじの青年時代……》と、彼は思った。そして、《その当時、誰に予言することができただろう！……人間、死んでみなければわからないな》と結論をくだした。《人間生きているかぎり、その人にまだできそうな、そしてほかの人にはわからないようないろいろなことがあり、それが未知量をつくりあげ、ほかの人々の判断を誤らせる。そして、最後に、死がすべての輪郭をきめてしまう。つまり、その人が、彼としての可能の世界から引き離され、自分ひとりだけになったとでもいったように。みんなはそのまわりをまわってみる。背中からもながめてみて、はじめて総括的な判断がくだせる……だからこそ、おれはいつも言っていた》と、彼はこっそり微笑を浮かべながらつけ加えた。《死体解剖をしないうちは、決定的な診断なんかあり得ない、と！》

彼は、父の一生なりその性格なりについての自分の考えが、まだこれで終わりでないということ、そしてこれから先も長いこと、そうした省察のうちに、教訓と魅力に富んだ自分自身にたいする反省の機会があたえられるだろうということを感じていた。

「……氏にたいし、わが光栄ある団体のためのご協力をお願いしましたとき、われらが氏に期待いたしましたものは、ただにその無私な精神、その精力、人類にたいする博大な愛、ないしまた、氏をしてこのうえなき代表的人物たらしめたところの、あの高い、そしていなみ得ない高貴さだけではなかったのでありました……」

《そういう自分も、おなじく一個の代表的人物というわけなんだな》と、アントワーヌは思った。彼は、こうした賞賛に満ちた弔詞に耳を傾けていた。そして、それに無関心ではいられなくなってきた。彼にはいま、自分がこれまで、父をその値打ち以下に評価していたようにさえ思われだした。

「……諸君、わたくしたちは、いまともどもに、この気高い精神の前にぬかずきたいと思うのであります。まことに氏こそは、徹頭徹尾、高潔な、そして正しきことのためにたたかってこられたかたでありました」

《不朽の名士》の弔詞がおわった。彼は、草稿をたたむと、両手をいそいで毛皮のついたポケットに突っこみ、謙遜なようすで、ふたたび閣僚たちのあいだの自分の席へもどっていった。

「パリ司教区カトリック事業委員会委員長」と、舞踊教師がつつましやかに述べた。

ラッパを手にしたひとりの尊敬すべき老人が、彼と同様老人で、しかもからだの不自由な下僕にたすけられながら、葬龕（そうがん）のほうへ近づいた。これは、司教区委員長としてチボー氏の後任であるばかりでなく、さらに故人にとっての個人的な友人、チボー氏といっしょにパリへ法律の勉強にやってきたルアン生まれの青年たちのなかで、いま生き残っているいちばん最後の人だった。彼はぜんぜん耳が聞こえなかった。しかもそれはずいぶんまえからのことで、アントワーヌとジャックとは、すでに子供のじぶんから、《金つんぼ》とあだなをつけていた。

「みなさん、きょうここに集まっておりますわたくしどもは、単に哀惜の気持ちのみに満足していてはいけないと思います……」

と、老人は高い声でわめきたてた。そして、その鋭い、ふるえをおびた声は、アントワーヌをして、おととい《金つんぼ》がおなじ下僕のおぼつかない腕にすがり、死者の部屋にはいって来たときのことを思いださせた。——「ピラドにたいし、オレストは」と、彼はもう戸口からわめきたてていた。「その友情の最後のしるしを見せたいと思いまして！」（オレストはギリシャ神話中の人物。その友ピラドに対する友情の厚かったことが諺になっている）彼は、遺骸のそばまでつれて行かれた。そして長いこと、まぶたの赤くなった目をあげて、死者の姿にながめ入っていた。それから彼は身を起こした。そして、アントワーヌのほうを向き、さもふたりのあいだが三十メートルも離れてでもいるように、嗚咽（おえつ）とともにこうさけんだ。「二十代には、とてもきれいなかたでした！」（この思い出、それはきょう、アントワーヌを愉快にさせた。）それにつけても、彼は

《物ごとというものは、なんと変わりやすいものだろう》と、思わずにはいられなかった。二日まえ、遺骸のまくらもとでは、彼は心の底から感動させられたものだった。

「……こうした力の秘密たるや、そもそもいかなるものでありましょうか？」

と、老人はさけびつづけていた。

「狂いのないこうした均衡、こうした清朗な楽天思想、あらゆる障害をものともせず、このうえない難事業をみごとに達成していかれた深い自信、わがオスカール・チボー氏は、それをはたしていかなる源泉からくんでこられたのでありましょうか？　こうした人物、またこうした一生を産み出すこと、それこそは諸君、とりもなおさずわがカトリシスムの永遠の誉れを物語るものではありますまいか？」

《たしかにそれにちがいない》と、アントワーヌも認めた。《おやじは、信仰のなかに、じつにすばらしい支柱を見いだしていた。彼は、信仰のおかげで、みずからを束縛するさまざまなもの、細かい心づかいとか、過度な責任感とか、自己疑惑とか、そのほかのすべてのものをいつも知らずにすごしていけたのだ》彼はさらに、自分の父親、ないしこの《金つんぼ》のごとき人々こそ、けっきょくのところ、生まれてから死ぬまでの道中で、いちばん安らかな道を選び当てた人なのではあるまいかとさえ考えた。《社会的にいって》と、アントワーヌは考えつづけた。《彼らは、もっともよく個人の生活と共同団体の生活とを調和させることのできた人々なんだ。彼らはたしかに、蟻塚や蜂の巣を作らせる本能の、その人間社会におけるあらわれにしたがった人々なのだ。これは、たしかに相当なことにちがいない……そうだ、おれがおやじに非難していたあの鼻持ちならぬ数々の欠点、傲慢さとか、名誉欲とか、専制熱とか、じつをいうとそうしたものがあったればこそ、おやじは、ものやわらかで、和協的で、謙虚であった場合、社会にたいしてあたえることができたであろう何層倍かのものを、自分の中から産み出すことができたのだ……》

「……諸君、この偉大なる闘士にとって、今日われらのささげる空疎な礼賛の言葉なぞ、なんの役にもたたないのであります」

と、老人は、声をしわがらせながら言葉をつづけた。

「いまやわれらは、かつてなき重大な時期に臨んでおります！　われらは、そういつまでも亡き人々を葬ることにのみにかかずらっていてはいけないのであります。われらはまさに、おなじ神聖な泉の中から、われらの力をくみ取ろうではありませんか。そして、いそぎわれらは……いそぎわれらは……」

彼は、真剣な感激に動かされるままにひと足前へ踏み出しかけた。そして、ぐらぐらしている従僕の肩につかまらなければならなかった。だが彼は、それにもかまわずほえたてていた。

「諸君、いそぎわれらは……いそぎわれらは……正しき戦いに馳せもどらなければならないのであります」

「育児連盟会会長」と、舞踊教師が披露した。

ぎごちない足どりで進み出た白いあごひげをはやした小男は、文字どおり関節の節々まで凍りついているとでもいうようだった。その歯はがちがち鳴っていた。顔にも貧血が見られていた。見ていてつらいほど、はげしい寒さにいためつけられ、いじけさせられてしまっているらしかった。

「わたくしはいま……その……」(彼は、超人間的な努力で、凍りついた両あごを引き離そうとしているかのようだった。)「……その……きわめて悲痛な思いをこめまして……」

《あそこの棚の下にいる子供たちを死なしてしまうぞ》たまらなくなったアントワーヌは、ふきげんなちょうしでつぶやいた。彼もまた、寒さに足をおかされて、外套の下、シャツの固い胸当てが凍るように思った。

「……氏は、われらのあいだを、かずかずの善事を積んで通り過ぎていかれました。すなわち《Pertransiit benefaciendo.（善事を積みて過ぎさせたまえり）》これこそじつに、氏のための輝かしい墓碑銘であらねばなりますまい！

諸君、氏はいまや、われらすべてのものの尊敬につつまれて……」

《尊敬！　やあれやれ》と、アントワーヌは思った。《いったい誰の尊敬なんだ？》彼は、寛容な眼差しで、老衰し、寒さにふるえ、その目も寒さに涙ぐみ、鼻水をたらしているこれら老人たちのうえを見まわした。彼らはいま、演説を聞こうとして、よく聞こえるほうの耳を差し出し、ひと言ごとに、賛同の意味でうなずいてみせていた。彼らのうちの誰ひとり、自分自身の葬式のことを思っていないものはなく、みんな、死んだ高名な同僚にたいして、惜しみなく《尊敬の言葉》をふりまきながら、それをうらやましく思っているのだった。

ひげの小男は息を切った。彼はまもなく、別の人に席をゆずった。

ゆずられた者は、遠いところをながめているような、青白い、鋭い眼差しをしたりっぱな老人。それは博愛事業に余念のない退役海軍中将だった。最初の言葉を聞いただけで、アントワーヌは反発を感ぜずにはいられなかった。

「わがオスカール・チボー氏は、明敏賢察な知嚢(ちのう)の所有者でありまして、現時混沌たる時代にあたり、種々不祥ないさかいの中に身をおきながら、つねによく大義の存するところを見きわめ、将来を築かんがために努力されたかたなのであります……」

《ちがう》と、アントワーヌは心の底で反対した。《おれのおやじは、自分で目隠しをしていたのだ。そして、自分の選んだ道にそったもの以外、何ひとつ見ないでこの世をわたっていた。党派的精神を持った男、とも言えるだろう。学校を出てこのかた、彼はみずからを探求すること、自由な解釈を持つこと、発見すること、また、知るということをぜんぜんやめていた。前人の道をたどる以外、彼には何もできなかった。つまり制服を着た人間だったのだ……》

「……これにもましてうらやむべき運命がありましょうか?」

と、海軍中将はつづけていた。

「こうした生涯、諸君、これこそはとりもなおさず……」

《制服》と、アントワーヌは、一心に聞き入っている一同のほうをも一度ながめまわしながら考えた。《それはたしかにそのとおりだ。論より証拠、ここにいる誰も彼もがおんなじなのだ。たがいにおき換えられるようなやつら。そのうちのひとりを描いたら、ほかのすべてのものが描かれるといったようなやつら。寒がりなやつら、目をしょぼしょぼさせているやつら、近目のやつら、どんなことでもこわがっているやつら。思想もおそろしいけれど、社会の進化もおそろしいと思っているやつら。自分たちのとりでの上におどりかかってくるものは、何から何までおそろしがっているのだ！……いや、待てよ。どうやらおしゃべりがうつったらしいぞ》と、彼は思った。《だがとりでとは、なかなかうまいことを言ったものだな。たしかにやつらは、籠城している人間の感じだ。城壁のうしろで、自分たちの頭数の多いのをたしかめようと、ひっきりなしに勘定している！》

彼は、不愉快な気持ちのだんだんふくらんでくるのを感じながら、もはや演説に耳をかしていなかった。だが、目だけは、おしゃべりにともなう大げさな身ぶりを見まもっていた。

「さらば、委員長閣下、さらば！　閣下のご活動をまのあたりながめたものの存するかぎり……」

少年園の園長が、演説者の群れの中から姿をあらわした。彼は、最後に話すことになっていた。少なくもこの人だけは、いま弔詞をささげられようとしている人について、かなり身近に観察する機会を持っていたもののようだった。

「……われらが親愛なる創立者チボー先生は、気軽な上きげんのかげに、その思想を隠しておくようなことは知らないかたでありました。そして、たえず活動にせきたてられておいでだった先生は、空疎な礼儀からの手ごころなどを、すっかり侮蔑しきるだけの勇気を持っておいででした……」

アントワーヌは、おもしろいぞと思って耳を澄ました。

「……先生の温情は、それがたくましい武骨さのかげに隠されていたために、おそらくさらに効果のあるものとなったのでありましょう。維持員会において、先生ががんとしてゆずられなかった態度こそは、先生の精力、先生の権利にたいする尊信、また、人に長たる先生の義務感から割り出された深き良心の発露そのものにほかならなかったのでありました……

先生にあっては、すべてが戦いであり、そして、それは直ちに権利だったのでありました！　先生の言説自身、それはつねに直接な目的に向けられておりました。それはひとつの武器であり、棍棒だったのでありました……」

《そうだった。何よりもまず、おやじはひとつの力だった》と、とつぜんアントワーヌは考えた。

そして、《おやじは、もっとほかのものになれたはずだった……おやじは、うんと偉い人間になれたはずだった……》彼は、こうした確信が、すでに確固たる形をとって、わが心の中に存在していたのにびっくりした。

園長は、監守たちのあいだに並んでいる園児の列のほうへ腕をさし伸べた。一同の頭は、身動きもせず、寒さに青ざめているこれら小さな罪びとたちのほうへふり向けられた。

「……これら罪ある少年たち、すでに揺籃(ようらん)のうちから悪へ向けられ、そしてオスカール・チボー先生によってはじめて手をさし伸べられたこれら少年たち、すなわち、悲しいかなきわめて不完全な社会組織の、そのいたましい犠牲者ともいうべきこれらの少年たちは、いまここに、その永遠の感謝の念をあらわし、かつ奪い去られた恩人の死をわれらとともに嘆こうとしているのであります！」

《そうだった。おやじは天分を持っていた……そうだった、やろうと思えばできたんだ……》と、アントワーヌは、そのかげにばくとした希望といったようなもののうかがわれる執拗さで、心の中でくり返した。そして、たとい自然が、このチボー家というたくましい根株からまだひとりの創造者をも生み出さなかったにせよ、いずれは……といった考えが心をかすめた。

彼は、感激に奮い立った。未来が、彼の前にひろびろとひらけた。

だがいっぽう、棺かきの手は、すでに棺にかかっていた。みんなは、早くすまそうとしているのだった。葬儀係は、前庭の石畳の上につえを鳴らしながら、ふたたび頭をさげた。そして、アントワーヌは、帽子もかぶらず、泰然たるようすで、いまオスカール・チボー氏の遺骸を土におろしに行こうとしている行列の先頭に立って、いかにもいそいそと歩いていった。Quia pulvis es, et in pulverem reverteris.（汝は塵なれば塵にかえるべきなり）

十三

その日ジャックは、階下には自分ひとりだけだったのにかかわらず、しっかりかぎをかけた部屋の中で午前中をすごした。（レオンは、もちろん葬列に加わりたいと申し出たのだった。）彼は、自分自身にたいする用心から、すなわち葬列が通るとき、その人々の中にぜったいに誰か知った顔をさがしたりすることのないようにと、よろい戸をぴったりしめておいた。そして、ベッドに身を横たえ、両手をポケットに突っこみ、目をぼんやり天井灯の光の中に放ちながら、低く口笛を吹いていた。

一時ごろ、いらいらするのと腹のへったのとで、彼は起きあがった。おそらく、いまごろは、少年園の御堂（みどう）の中で、おごそかな葬礼の式が行なわれているさいちゅうにちがいなかった。上の住まいでは、ずっとまえに聖トマ・ダキャン寺院のミサから帰って来ていた《おばさん》とジゼールが、彼を待たずに食卓についてしまっているにちがいなかった。もっとも彼は、きょう一日、誰にも会うまいと堅く決心していた。たべるものなら、食器簞笥に何か残っているにちがいなかった。
彼は、台所へ行こうとして玄関を抜けながら、入口のドアの下からすべりこませた手紙や新聞のあるのに気がついた。そして、さっとからだをかがめた彼は、まるで目がくらむような気持ちがした。まぎれもないダニエルの手跡！

ジャック・チボーさま

指がふるえて、なかなか封が切れなかった。

「愛するジャック、なつかしい友よ！　ぼくはゆうべ、アントワーヌさんから手紙をもらった……」

消沈していた彼にとって、この呼びかけはきわめて鋭く胸を打った。彼はその手紙を、あらあらしく四つに折り、つづいて八つに折り、それが、かたく握ったこぶしの中にはいるまで折りたたんだ。それから、はげしい勢いで自分の部屋へ飛びこむと、ドアをしめ、かぎをかけた。彼は、自分が、なんで出ていったのかさえ忘れていた。彼はいく足かふらふら歩いた。そして、ぴたりと電灯の下に立ちどまると、くしゃくしゃになった手紙をひろげ、自分を求めている名がぱっと目の前に出てくるまで、何が書かれているかさえうわのそらで、ちらちらする目でむさぼり読んだ。

……この数年来、ジェンニーにはパリの冬がむりだった。そしてふたりは、一カ月このかたプロヴァンスのほうへ行っている……

彼はふたたび、まえとおなじような乱暴さで、その手紙をくしゃくしゃにした。そして今度は、それをまるめてポケットに入れた。

彼は最初、ぐらぐらするような、ぼうぜんとしたような気持ちだった。だがとつぜん、なんだかくな気持ちになった。

一分の後、彼はこの何行かの手紙によって決心を変えでもしたように、アントワーヌの机のところへ駆けよった。そして時刻表をあけてみた。目をさまして以来、彼の心からはクルーイがついて離れなかった。これからすぐに駆けつけたら、二時の急行に乗れるだろう。クルーイには日のあるうちに着けるだろう。だが、式はすんでいるだろうし、帰りの汽車もずっとまえに出てしまっているだろう。つまり、ぜったい誰にも顔をあわさずにすむにちがいない。着いたらすぐと墓地へ行こう。そして、そのまますぐに帰ってこよう。《ふたりは、プロヴァンスのほうへ行っている……》

だが、この旅が、さらにどれほど自分をいらだたせることになるだろうか、それは彼にも予測できなかった。彼は、じっとしていられなかった。いいあんばいに、汽車はまったくのがらあきだった。彼の席をしめた一画にひとりきりだったばかりでなく、車内を通じて、喪服をつけたひとりの老婦人がいるだけだった。ジャックは、その老婦人にはおかまいなく、おりの中の野獣のように、廊下にそって、はしからはしまで歩きはじめた。こうした乱暴な行ったり来たりが婦人の注意をひいたこと――おそらくちょっと不安な気持ちにさえさせたこと、それはすぐには彼にわからなかった。彼は、こっそりその婦人を観察した。彼はいつでも、ほんの少しでもものごしの変わっている人物に出会うと、しばらくのあいだ、手をとどめ、偶然が自分の前においてくれたそうしたいわゆる人間の見本を、じっとながめずにはいられなかった。ところで、この婦人は、たしかに人をひきつけるだけの顔だちを持っていた。やつれ、青ざめ、そしてさまざまな痕の刻まれたりっぱな顔だち。悩ましげな、そして表情をふかくたたえた、たしかに思い出の重みをずっしり感じているらしい眼差し。戴いた白髪のいかにもふさわしく思われるその顔全部が、おだやかであり、清らかだった。彼女は、きちんと喪服をつけていた。見うけたところ、久しいまえから、ひとりぼっちの生活をつづけ、孤独の生活をりっぱにすごしてきているとでもいうようだった。コンピエーニュへ、ないしサン・カンタンへでもかえるのだろうか？　地方での中産婦人。荷物といっては、何もない。ただ、かたわらの腰掛けの上に、なかばパラフィン紙に包まれたパルムすみれの大きな花束がおかれていた。

クルーイに汽車がとまった。ジャックは、胸をおどらせて飛びおりた。

フォームの上には、人っ子ひとりいない。

空気は凍いてて、透明だった。

駅を出た彼は、あたりの風景に胸をつかれた。近道や、それに村道さえも避けた彼は、左手、十字架の立っている道のほうへ向かって歩き出した。三キロばかりのまわりだった。

ほえたける風のいぶきは、たえず四方に吹きおこり、それは突風のように、まだ雪に白く包まれたままのあたりのさびしい風景のうえを吹いていた。そうしたもくもくの綿のうしろで、太陽はいま地平線のどこかへおりていきつつあるにちがいなかった。ジャックは、足早に歩いていた。彼は、朝から何ひとつたべていなかった。だが、もはや少しも空腹を感じなかった。そして、寒さに酔っていた。曲がりかど、堤防、やぶだたみ、そのひとつひとつに記憶があった。十字架は、三本道のあつまるところ、裸木の木立の中にずっと遠くから見分けられた。あそこに見えるあの道は、ヴォーメニルへの道。あそこの道路工夫のほったて小屋は、監督につきそわれての日々の散歩のおり、いく度か雨宿りをさせてもらったところ！　レオン爺とは二度か三度、アルテュールとは少なくも一度。アルテュール、人のいいロレーヌ人らしい平たい顔、青い目。と、たちまち、あのあいまいなうす笑い……

これら思い出のかずかずは、顔を切り、指先をしびれさすような寒風にもまして彼をむちうった。彼はまったく、父のことなど忘れていた。

短い冬の日は、いま足早に終わりかけていた。光は鈍くなっていたが、まだ明るさは残っていた。

クルーイの村まで来ると、彼は、昔のように、家並みのうしろを通るため、方向を変えずにはいられなかった。いまもまだ、わんぱくどもから指さされるのを恐れているとでもいうようだった。あれから数えてすでに八年、誰に自分とわかるだろう？　それに、通りには人影もなく、家々の戸口も閉ざされていた。村の生活それ自体、まるで寒さに凍えてでもいるようだった。そしてただ、煙突だけが、ねずみ色の空に煙をあげていた。宿屋が見えた。かどのところの石段といい、風にきしんでいる看板といい、何から何まで昔のままだ。そういえば、石灰質の地面になかば溶けかかったこれらの雪、いまも、園から支給された靴のまま、自分がそこを歩いているのかと思われるこうした白ちゃけたぬかるみまで、すっかり昔のままだった。宿屋。そここそはレオン爺が散歩を早くきりあげては、酒場へ行ってひと勝負やろうと、彼をがらんとした洗濯場の中に押しこめておいたところだった！　ネッカチーフをしたひとりの娘が、路地から出てきて、石段の上で板底の靴を鳴らしていた。新しくきた女中かしら？　ことによると宿屋の娘、《懲役人》を見ていつも逃げだした、あのころの小娘であるかもしれない。その娘は、家の中に姿を隠そうとしながら、陰険なようすで、この見知らぬ青年の通っていくのをみつめていた。ジャックは足を早めた。

　彼はいま、村のはずれに立っていた。最後の家並みを出はずれるやいなや、原のまんなか、一帯の高いへいによって隔離され、うえに雪をいただいた大きな建物、それに格子をつけたいく並びもの窓が見えた。彼の足はがくがくした。何から何まで昔のままだ。木といっては一本もない門までの道は、ただもう泥川にほかならなかった。もしもこれが、こうした冬のたそがれ、行き暮れたよそ者であったとしたら、二階の上部に刻みこまれた金文字も、おそらく読みわけられなかったことだろう。だがジャックは、それら誇らかな文字をはっきり読んだ。そして、彼の眼差しは、そこにくぎづけにされていた。

オスカール・チボー少年園

このときはじめて、彼は、創立者たる父親の死、そしてこれらのわだちの跡が、その葬列の馬車によって掘りかえされたものであること、自分もまた、その父のためにこうしてここまで来たことなどを思いだした。そしてたちまち、こうした陰気な建物に背を向けることのできたのにほっとしながら、もと来た道をとってかえし、左に折れ、墓地の入口の両側に立つ二本の糸杉の方角へ向かって歩いていった。

いつもしめられている鉄門は、きょうはあけ放されたままだった。わだちの跡が、道をしめしていた。ジャックは機械的に、花輪が山とつまれているほうへ向かって歩いていった。花輪は、寒さのためにしおれてしまい、うずたかくつまれた花というより、むしろ野菜の皮を山とつみあげでもしたようだった。

墓の手前のところ、茎をパラフィン紙で包み、あとからそこへおいたらしいパルムすみれの大きな花束が、わざと離れて、雪の上に寝かせてあった。

《おや》と、彼は思った。だが、こうした偶然の一致には、たいした興味もひかれなかった。

新たに掘り返された土を前にして、彼はたちまち、この泥の中にうずめられた遺骸のすがたを思い浮かべた。それは彼が最後に見たときのままの姿、すなわち葬儀会社の男が、家族にむかっていねいなものごしであいさつした後、すでに面変わりした顔の上に永久にはおり布をおろしてしまった、あの悲痛な、と同時にこっけいな姿にほかならなかった。

《さあさ、行けゆけ、お待ちかね！》と、彼は、胸を刺すような悩ましさとともに思いだした。すると、とつぜんこみあげてくる嗚咽（おえつ）に呼吸がとまった。

ローザンヌ以来、彼はなかば無意識的に、一時間一時間、ただ事の動きに身をまかせてきたのだった。だがいま、彼の心の中には、昔ながらの、子供らしい、極端な、同時につじつまの合わない、そしてまたきわめて明らかな愛情が、慚愧（ざんき）と悔恨の感情にかきたてられて目をさました。彼は、若き日の自分を少しずつ毒していった怒りの気持ちのこと、侮蔑や憎悪の気持ちのこと、復讐の希望のことなどを思いおこした。いく度となくはねかえるたまのように、いままで忘れていたさまざまなことが思いだされて、それに心を刺しつらぬかれた。彼は、しばらくのあいだ、あらゆる恨みを忘れ、子たるものの本能にかえって、父の死にたいして涙をながしていた。こうしてしばらくのあいだ、彼はきょう、たがいにそれと知ることなく、自発的に、そしていろいろな表向きな儀礼をはなれ、しみじみこの墳墓の前に来て亡き人をしのぼうとしたふたりのうちのひとり——きょうこの日、チボー氏が真の涙をそそいでもらうことのできた、この世にあってのたったふたりの、そのひとりになっていたのだった。

だが、いつも物事をま正面からながめずにはいられない彼は、こうした悲しみ、こうした悔恨の持つ不条理を、たちまち見やぶらずにはいなかった。彼ははっきり、もし父にしてこのうえ長く生きていたら、おそらく自分として彼を憎み、ふたたび逃げだしたであろうことを知っていた。だが、彼は、いましんみりした、また、ばくとした感情のままに、まるで力が抜けてしまったとでもいうように、そこにとどまっていた。彼は、何かしらはっきりしないこと……もしそうであってくれたらといったようなことを考えながら、それをざんねんに思っていた。彼は一瞬、柔和な、寛容な、理解力のある父さえも想像していた。そして、そうした慈愛深い父にたいし、一点非の打ちどころのない息子になれなかった自分を、ざんねんに思ってもみたかった。

つづいて彼は、肩をすくめ、くるりとうしろを振り向いた。そして、墓地を出ていった。

村は、さっきよりいくらか活気づいていた。ちょうど百姓たちは、一日の仕事を終わろうとしているところだった。窓々には、明かりが輝いていた。

家並みを避けた彼は、駅への道をたどるかわりに、ムラン・ヌフ街道を歩いていった。そして、ほとんどすぐに畑の中に出てしまった。

彼はもう、自分ひとりではなかった。《それ》は、ちょうどにおいのように滲透性を持ち、執念ぶかく彼を追いかけ、彼にとりつき、あらゆる彼の考えのひとつひとつの中に食い入っていた。《それ》は、このひっそりした原の中、雪の上にちらつくきらきらした光の下、一瞬風が吹きやむとともにになごやかになる空気の中、彼といっしょに歩いていた。彼は、抵抗しようともしなかった。彼はこうした《死》の圧迫に身をまかせていた。そしておりおり生きることの無意味さ、すべての努力のむなしさをいかにもひしひしと感じて、心のうちに、肉欲的な興奮とでもいったようなものさえそそりたてられていた。人はいったい、なんで望んだりするのだろう？　いったい何を望むというのだろう！　人生はすべてはいかにも愚劣だ。何ものも、ぜったいに何ものも——人にして死というものを知ったが最後——もはや存在の意味がないのだ！　彼はいま、底の底までやっつけられたように感じた。もはやなんらの野心もない。人の上に立とうという望みもなく、何事であれぜひやりとげようという希望もない。そして、自分には、いつかこうした懊悩から立ちなおることができ、たといどういう平安にしてさえ、どうもとりもどせそうには思われない。さらに、たとい人生は短くとも、人間には往々自分自身の一部分を潰滅から救うだけの余裕があり、自分自身の夢の一部を、自分を押し流す波のうえに高く差しあげ、自分が沈んでしまったあとでも、なお自分自身のうちの何物かを浮かびあがらせることができるのだなどと、考えてみる気にさえなれなかった。

彼は、早い、せわしない足どりで、さもこわれものを胸にいだいて逃げて行く男とでもいったように、からだを固くこわばらせながら、どんどん前へ向かって歩いていった。あらゆるものからのがれるのだ！　それは単に、社会とか、それの持つ触手からだけのことではない。単に、家族、友情、恋愛からだけでもなく、さらにまた、自分自身から、遺伝や習慣の暴虐からだけでもない。すなわち同時に、自分自身の髄の髄からのがれるのだ。われらのみじめな残骸を、なおも生活に結びつけている愚かしい生活本能からのがれるのだ。彼にはふたたび、自殺——あの自発的な、全的な自己抹殺というきわめて論理的な考えが、抽象的な形をとっておとずれてきた。つまるところ、無意識の世界への着陸だ。彼はとつぜん、死んだ父、そしてそのりっぱな、おだやかな顔を思い浮かべた。

《ワーニャおじさん、休めるときが来るんですわ……いまに休めるときが来るんですわ》（チェーホフ『ワーニャ伯父さん』中のせりふ）

われにもあらず、彼は何台かの荷馬車の響きによって考えを破られた。彼の目には、角灯が見えた。荷馬車は、わだちの跡の上をゆれながら、馬子のわめきや笑い声の中を、こっちをさして来るのだった。彼にとっては、誰かに行きあうことがたまらなかった。彼は、一瞬躊躇もなく、道のそば、雪でいっぱいになっているみぞを飛び越え、凍った耕地をよろめきながら横切って、小さな林のふちまで行き、木だたみの中へ飛びこんだ。

凍りついた木の葉が靴の底に鳴りわたり、いじわるな枝のはしが、むちのように頬を打った。彼は、わざと両手をポケットへ突っこみ、むちうたれるのをたのしみながら、どこへ行くか自分にもわからず、ただ、道なり、人間なり、すべてのものなりからのがれたいと思って、まるで酔ってでもいるように、木だたみの奥へ奥へと分け入った！……

それはただ、木のはえた一帯の狭い地面というにすぎなかった。彼はたちまち向こうへ抜けた。木のあいだを通して、彼はふたたび、暗い空の下、一本の道が横切っているまっしろな原、そしてま正面には、地平を圧して立つ少年園の建物、そして、ずらりと並んでいる灯火を見た。工房と、自習室のある階層だった。このとき、ひとつの気ちがいじみた考えが、彼の空想の中に思い浮かんだ。一連の場面が展開した。納屋の低い土べいをよじのぼる。土べいの頂にまたがって、倉の窓までたどりつく。ガラス窓を打ち破る。マッチをする。格子のあいだから、わら束に火のついたのをほうりこむ。予備ベッドのかずかずが、たいまつのように燃えあがる。火はすでに本館までも燃えうつり、昔自分のいたあの監房、自分の机、自分の椅子、黒板からベッドまでもなめつくす……炎がすべてを焼きつくす！

彼は、手で、木の枝にひっかかれた顔のうえをさっとなでた。彼は、自分の無力なこと――ばかげていることを思うと、いかにもたまらない気持ちになった。

彼は、決然、少年園にたいし、墓地にたいし、過去にたいして背を向けた。そして、大またに、駅へ向かって歩きだした。

五時四十分の汽車には、わずか何分かのことで乗りおくれてしまった。七時の普通列車までがまんしなければならなかった。

待合室はまるで氷室のようだった。そして、かびくさいにおいをたてていた。

いつまでもいつまでも、彼は、頬をほてらせ、ポケットの中の手紙を握りしめながら、人けのないプラットフォームの上を行ったり来たり歩きつづけた。彼は、心に、それをぜったい二度と読むまいと誓っていたのだ。
とうとう彼は、時計を照らし出している反射灯のそばへ歩みより、壁に身をよせ、ポケットから手紙を出して読みはじめた。

愛するジャック、なつかしい友よ！　ぼくはゆうべアントワーヌさんから手紙をもらった。そして、まんじりともできなかった。ゆうべからけさまでのあいだに、もしきみのところへ来て、せめて五分間でもきみの生きている姿に会えるのだったら、ぼくはいささかの躊躇もなく、そうだ、あらゆる危険をものともせず、きみに会うため、そうだ、わが目の前に生きているジャックを見るため、へいを乗り越えさえしただろう！　夜っぴていびきをかきどおしのふたりの同僚といっしょにいるこの下士室の中、ぼくは月に照らされた白亜の天井の上に、あのずっと少年期を通じてのぼくらの生活、ともにすごした生活のすべて、中学時代、それから後の何から何までが、列をなして通りすぎるのを見たのだった。友よ、昔ながらのわが友よ、ぼくにとっての兄弟よ！　あれから、ぼくはどうしてきみなしで生きていられたのだろう？　ねえ、ぼくはただの一分間も、きみの友情を疑わなかった。ねえ、アントワーヌさんから知らせを受けたぼくは、けさ、練兵をすますが早いか、すぐこうしてきみへの手紙を書いている。しかもぼくは、何ひとつ的確なことを知っていないし、きみがはたしてどういう目でぼくの手紙を読むだろうかも考えず、きみがどうして、またいかなる理由で、三年間ぼくにたいしてああもつれなく黙っていたか、それさえ知ってはいないのだ。ああ、ぼくには、きみがどんなに必要だったことか！　そういうきょうも、どんなにきみが必要なことか！　ぼくには、とりわけ軍隊にはいるまえ、地方民の生活をしていたとき、しみじみきみにいてもらいたかった！　こうした気持ちが、少しはわかってもらえるだろうか？　きみがあたえてくれた力、ぼくの中にありながら、いつも可能の状態にとどまり、きみによってはじめてひき出してもらえたすべての美しいことのかずかず、それらはぜったい、きみなくしては、きみの友情なくしては……

ジャックの手は、くしゃくしゃになった紙片を、目の高さまで差しあげながらふるえていた。明かりが暗いのと涙のためで、読みわけるのがひとほねだった。すぐ頭の上では、鋭い、そして木ネジのように刺しこむベルの音が、たえまなしにふるえていた。

……そして、きみは、ぜったいそれに気がつかないでいたらしい。なぜかといえば、あのころのぼくは、とても誇りを持っていて、このことを――とくにきみにたいして、打ちあけられなかったからなんだ。で、きみが姿を隠したとき、ぼくはそれを信じなかった。ぼくにはまったくわからなかった。ああ、ぼくはどんなに苦しんだろう！　とくに、そのことのいぶかしさに！　これはいつかはわかってもらえるにちがいない。だが、どんなにたまらない不安なときでも、そして、きみをはげしく恨んでいたときでも、ぼくは、ぼくにたいするきみの感情が、（きみにして生きているかぎり）ぜったい変わらないことを信じていた。そして、ほら、きょうもきみを疑ったりはしていないんだ。

…………………………………………

勤務に妨げられて中絶した。

ぼくはいま、酒保の片すみに隠れている。この時間、それはいけないことになっているんだ。きみはおそらく兵営の生活——十三カ月まえからぼくをつかまえ、ぼくをしっかりつかんでいるこの生活を知るまいな。だが、ぼくはいま、兵営の話をするつもりはない。

なんというおそろしさ。ねえ、おたがい何を言うべきか、どんな話をしたらいいのか、それすらわかっていないのだ。きみも察していると思うが、ぼくはきみに書きたい無数の質問を持っている。だが、そんなことはどうでもよい。ただ、そのうちのひとつに答えてほしい。というのも、それがいちばん身をきられるような質問だからだ。いいか、ぼくには、きみに会うことができるのだろうか？　ああした悪夢はもうすんだのだろうか？　きみは見つかってくれたのだろうか？　それとも……それともまた逃げだそうというのだろうか？　ねえ、ジャック、少なくともこの手紙だけは読んでもらえるだろうと信じているし、それにまた、この機をはずしてはきみをつかまえられまいと思うから、どうか次の言葉だけを言わせてくれ。《ぼくは、きみについて何から何まで理解でき、何から何まで認め得るのだ。だがそのかわり、お願いだ、たといどんな計画をしていようと、このぼく自身の生活から、あれほど全的に姿をかくさないでくれるよう！　ぼくにはきみが必要なんだ》（ぼくは、どれほどきみを自慢していることだろう。ぼくは、どんなに偉大なことをきみに期待していることだろう。そしてまた、その自慢のできることを、どれほど望んでいることだろう！）ぼくは、どんな条件でも喜んでいれる。もしきみにして、ぼくに住所を教えたくない、文通したくない、ぜったい手紙をくれてはいけない、きみからのたよりを、誰にも――アントワーヌさんにさえ知らせてくれるなということだったら、ぼくはそうした約束もしよう。そうだ、ぼくはすべてを承知しよう。あらかじめどんなことでも約束しよう。ただ、ぼくには、ときどきのきみからのたよりが必要なのだ。きみが生きており、きみがぼくのことを思っていてくれたのだというしるしがほしい！　ぼくはいま、この最後の行を書いて後悔している。ぼくはそれを抹殺する。そうだ、ぼくには、きみが思っていてくれることがはっきりわかっているんだから。（このことについても、ぼくはぜったい疑わなかった。きみにして生きているかぎり、ぼくのこと、ふたりの友情のことを忘れるなんて、ぜったい思ってさえもいなかったんだ。）考えているひまがないので、筆にまかせて書きつづける。それでいて、いくら書いても、とても気持ちをあらわせないことがじつにはっきりわかっている。だが、そんなことはどうでもいい。ああした苦しい沈黙のあとだ。それもどんなにうれしいことか。

ぼくはいま、自分のことを話さなければならない。きみがぼくのことを考えてくれるとき、それが、きみと別れたときのぼくだけでなく、現在かくあるぼくであってほしいと思うんだから。おそらく、アントワーヌさんからも話があろう。彼は、ぼくをよくわかっていてくれる。きみが家出をして以来、ふたりはたびたび顔をあわせた。さて、何から話したらいいだろう。言いたいことが山ほどあり、とほうにくれるほどなのだ。それに、きみには、ぼくの生活がわかっているだろう。ぼくはまったく、現在に働き、現在の人になりきっている。過去に立ちもどることをゆるされないんだ。ちょうどぼくが、ぼく自身に関し、芸術に関し、また久しいまえから漠然と求めていたすべてに関し、何か本質的なものを認められでもしたように思ったとたん、兵役がぼくの仕事を中断したんだ。だが、そんな話はきょうはやめよう。それに、ぼくにはなんの未練もない。こうした軍隊生活、これこそぼくにとって、何か新しいもの、何かきわめて力づよいもの、とりわけ部下に命令するようになってからは、大きな試練、と同時に大きな経験でもあるからなんだ。だが、そんな話もきょうはやめよう。

ただひとつ、きわめてざんねんなのは、一年このかた、ママと別れていなければならないこと。しかもとりわけ、ママとジェンニーのふたりが、こうして遠く別れているのを、ひじょうにつらがっていることがわかっているので。じつをいうと、ジェンニーの健康がぱっとしない。そしてぼくたちは、いく度となく心を痛めた。ぼくたちと言ったが、けっきょくぼくのことなんだが。なぜかといえば、きみも知ってるママのことだ、事が悪くなることなんか、ぜったい考えていないんだから。だが、そのママも、最近数年、ジェンニーにとってパリの冬がむりだったことを認めだした。そしてふたりは、一カ月このかたプロヴァンスのほうへ行っている。保養院とでもいったようなところ。できれば春まで、そこでジェンニーを療養させよう。母にしてもジェンニーにしても、心配事や悲しみを、山ほどたくさん持ってるんだし！　おやじはいつもあいかわらず。おやじの話はやめにしよう。いまオーストリアへ行っている。だが、あとからあとから問題つづきだ。

友よ、ぼくはいま、とつぜん、きみのお父さまのなくなられたことを思いだした。じつはそのことからこの手紙を書き始めようと思っていたんだ。許してほしい。それにぼくには、このご不幸についてきみと語ることがたまらないのだ。それでいて、きみの心中同情に堪えない。こうした不幸が、きみの胸中に、思いもかけない、そしていたましいショックをあたえたことがだいたいぼくにも確信される。

さて、ここまでで筆をおく。時間がきたのと、郵便下士が来たためなんだ。どうかこの手紙が届くよう。そして、できるだけ早く届くよう。

しまった、念のため、もひとつ書いておきたいことがある。ぼくは、パリへ行かれない。ここにからだをしばられているので、どうしてみても会いに行けない。だが、パリからリュネヴィルまでは、時間にしてわずか五時間。そして、ぼくはここで受けがいい。（連隊長は、ぼくに命じて報告室の装飾さえもやらせやがった。）ぼくには相当自由がある。おそらく一日、休暇をやらないとは言わないはずだ。もしきみにして……ああ、もしきみにして……いや、よそう。そんなことなど、夢にも考えないことにしよう！　ぼくはも一度くり返す、ぼくはなんでも承知する。ぼくはなんでも理解する。きみをいつも、いつまでも、永遠の、唯一の友と思って愛しつづけながら……

ジャックは、この八ページを息をもつかずに読み終わった。彼は、からだをふるわせ、感動し、度を失い、何が何やらわからなくなってしまっていた。だが、このとき彼の感じていたもの、それは、それがたといいかにはげしいものであり、彼をしてすぐにもリュネヴィル行きの汽車に飛び乗らせそうなものであったにしても――それはけっして単なる友情の目覚めといったようなものではなかった。それこそは、さらに大きなもの――彼の心のほかの部分、苦しい、暗澹としたほかの部分、彼としてそこに光をもたらすことができず、またもたらそうとも思っていなかったひとつの部分を、深くむしばんでいた大きな悩みにほかならなかった。

彼はいく足か前へ進んだ。彼は、寒さよりも興奮にふるえていた。手には手紙を持っていた。そして、かまびすしく鳴りわたるベルの下へふたたびもどってくると、そこの壁にもたれ、できるだけ落ちついた態度で、も一度全部を読みはじめた。

ガール・デュ・ノール（北部鉄道株式会社のパリにおける発着駅）を出たときには、すでに八時半を過ぎていた。夜は、美しく、そして清らかだった。みぞはすっかり凍りつき、歩道はかさかさかわいていた。

彼は、腹がへって死にそうだった。ラ・ファイエット町で一軒のビヤホールを見つけた彼は、そこへはいると、長椅子にぐったり腰をおろした。そして、帽子もぬがず、襟も立てたまま、ゆで玉子を三つ、酢づけのキャベツを一人まえ、パンを半斤、むさぼるように食ってのけた。

腹ができると、ビールをたてつづけに二はい飲んだ。そして、じっと向こうのほうをながめた。店はほとんどがらあきだった。彼の正面、別の腰掛けの列のうえには、女がひとり、からの杯を前にしてテーブルにつき、彼のほうをながめていた。髪の黒い、肩幅の広い、まだ年の若い女だった。彼は、その女の、つつましやかな、しんみりした眼差しに気がついた。そして、なぜとも知らず、はっと心を動かされた。駅の付近をうろつきまわる女にしては、あまり服装が地味すぎた。店出しそうそうとでもいうのだろうか？……ふたりの目と目がいきあった。彼は、目をそらしてしまった。ちょっと合図をしようものなら、すぐにこっちへ来かねなかった。純真な、それでいて悲しい経験をなめつくしたような表情の女。それでいて、魅力なり味わいなりが、ぜんぜんないとも言われなかった。誘惑を感じた彼は、しばらくのあいだためらっていた。こうして今夜、いかにも単純な、いかにも自然な、そして自分について何ひとつ知らない女を持つということ、それもあるいは楽しいかもしれなかった……女は、悪びれたようすもなく、じろじろ彼をながめていた。彼女はどうやら、彼の躊躇を察したらしい。彼は、用心しながら、女の眼差しを避けていた。

やがてのことに、彼は心をとり直した。そして、ボーイを呼んで勘定を支払うと、女のほうへは目もくれず、いそいで外へ出てしまった。

外へ出ると、はっと身を襲う寒さ。歩いて帰るか？　それにはあまりに疲れていた。彼は、歩道のはしまで来て、しばらく車をねらっていた。そして、いちばん先に通りかかったあきタクシーに合図をした。

車が前にとまったとき、誰かがそっと彼にさわった。女がついてきたのだった。女は、彼のひじにさわりながら、無器用なちょうしでこう言った。

「あたしのところにいらっしゃらない？　ラマルティーヌ町」

彼は、頭で、やさしく、いやだといった意味をつたえた。そして、車の戸をあけた。

「じゃ、ラマルティーヌ町九七番地のところでおろしてくださらない？……」女は、断然離れない決心をしてでもいるかのように彼にたのんだ。

運転手は微笑しながら、ジャックのほうをじっと見ていた。

「じゃ旦那、ラマルティーヌ町九七番地へやりますかい？」

女は、ジャックが承知したものと思いこんだ。少なくとも、そう思ったふりをした。そして、ドアのあいている車の中へ飛びのった。

「じゃ、ラマルティーヌ町へやってもらおう」とジャックがゆずった。

車は動きだした。

「なんでそんなに気どってるのよ？」女はすぐにこうたずねた。あだっぽいその声に、女の正体はすっかり読めた。つづいて彼女は、甘ったれたちょうしで、身をよせながら言葉をつづけた。「すっかりあがってるのがわからないつもり？」

女は、両腕で、やさしく彼をだきしめた。そして、こうした愛撫、こうしたあたたかい肌のぬくみが、ジャックの気持ちをとろかした。

同情されたい気持ちの動くままに、彼は、なんとも返事をせずに、出かかるためいきを押しころした。すると女は、このためいき、この沈黙で、男がすべてをまかせたものと思ったのか、さらにはげしく彼をだいた。そして、帽子を脱がせ、相手の頭を自分の胸に引きよせた。彼は、されるがままになっていた。彼はたちまち苦しくなった。そして、なぜとも知らず泣けてきた。

女は、声をふるわせながら、彼の耳もとにささやいた。

「あんた、ドジふんだのね?」

彼は、すっかりあっけにとられて、べつに言葉を返さなかった。彼はたちまち、こうした凍てついたパリの町を、もものところまで泥のあがったズボンをはき、顔には枝でひっかかれた傷をこしらえて歩きまわっている以上、犯人と見られるのにもむりがないと思った。彼は目をとじた。女に悪漢と思われたこと、それがとてもうれしかった。

彼女はさらに、彼が黙っているのを、実を吐いたものと解釈した。そして、熱情的に彼の頭をしっかりだいた。

彼女はさらに、まえとちがった、力づよい、わけ知り声でこうすすめた。

「あたしんとこに隠れていない?」

「たくさんだ」彼は、じっとしたままこう言った。

女は、自分にわからないことでも引きうけてくれそうなようすだった。

「じゃあ」女は、ちょっとためらってからこう言った。

「お金持ってる?」

彼は、そう言われると目をあけた。そして、むっくりからだを起こした。

「なんだって?」

「あたし、ここに百五十フラン持ってるの。あんたいらない?」彼女は、小さなハンドバッグを上げて見せた。そうした伝法な言葉の中には、姉とでもいったような、荒っぽい、ちょっとおこってでもいるようなやさしさがあった。彼はすっかり感動して、急には返事ができなかった。

「お志はうれしいが……ご辞退するよ」と彼は首を横にふりながらつぶやいた。

車は速力をゆるめて、入口の低い一軒の家の前でとまった。歩道は暗く、そして、人影も見えなかった。

ジャックは、女が、さそうにちがいないと思っていた。そうなったらどうしよう?

だが、なんら躊躇する必要はなかった。女はすでに身を起こしていた。そして、彼のほうを向き返ると、クッションの上に片ひざつき、暗い車中、これを最後に、も一度ジャックをだきしめた。

「かわいそうに」ためいきをつくように女が言った。

女は、ジャックの唇を求めてきた。そして、そこに、秘密のかげを見つけ、犯罪の味を見つけ出そうとでもするかのように、はげしくそれにキスをした。それからすぐに身をふりほどいた。

「くらいこんだりしないようにね、おぼっちゃん！」

言うが早いか飛びおりて、車のドアをばたんとしめた。そして、運転手に、金を百スーさし出しながら、

「サン・ラザール町を通ってね。旦那がいいところでとめますからね」

車はふたたび走り出した。ジャックには、誰とも知れないその女が、ふり向きもせず、暗い路地に姿を消すのが、ほんのちらりと目にうつった。

彼は、ひたいに手をあてた。彼はあっけにとられていた。

車は走りつづけていた。

彼は、窓ガラスをおろし、顔に冷たい風をうけ、深く息を吸いこんでから微笑した。そして、運転手のほうへ身をかがめて、

「ユニヴェルシテ町四番地ロ号」と、陽気にどなった。

十四

墓地への葬列が終わるが早いか、アントワーヌは自動車をコンピエーニュまで走らせた。表面は、

石屋にいろいろ指図をするためというのだったが、じつは主として、帰りの汽車の雑踏をおそれてのことだった。五時半の急行に乗れたら、夕食まえにはパリに帰れる。彼は、途中どうかひとりであってくれるようにと祈っていた。

だが、それは、偶然を考慮に入れないでの考えだった。

発車にさきだつ数分まえ、プラットフォームに出た彼は、そこでぱったりヴェカール神父に会った。そして、思わずふきげんになりそうなのをこらえなければならなかった。

「大司教さまが」と、司祭は説明した。「車にのせてくださいましてな。話しながら行こうとのおおせで……」

彼は、アントワーヌの、浮かない、疲れたような顔に気がついた。

「ははあ、ずいぶんお疲れだったでしょう……えらい人数……それに、あんなに演説があっては……しかし、きょうのことは、のちのち大きな思い出のひとつとしてお忘れになれますまい……ジャックさんの見えなかったのがざんねんでした……」

そして、アントワーヌが、目下の場合、弟が遠慮するのをどれほどとうぜんのことと思っているのかを説明しようとしかけたとたん、司祭はそれを押しとどめた。

「おっしゃらずに、おっしゃらずに……たしかに、お見えにならないほうがよかったですよ。あなたから、ご葬儀がどんなに……ありがたかったか、話しておあげになったらいいのですよ。ねえ？」

アントワーヌは、思わず、その言葉をとりあげずにはいられなかった。

「ありがたかった？　ほかの人たちにはあるいはそうだったかもしれませんな」彼は不服らしくつぶやいた。「しかし、ぼくにはちがうんです。じつのところ、あの仰々しさといい、あの紋切り型の雄弁といい……」

彼の眼差しは、司祭のそれといきあったとたん、そこに皮肉なひらめきのあるのを見てとった。司祭もまた、きょうの午後の演説について、アントワーヌとおなじように思っていたのだった。

列車がはいってきた。

ふたりは、暗い、だが、すいている車室を見つけて席をとった。

「タバコはいかがです？」

司祭は、それをきくなり、人さし指を重々しく唇までもっていった。

「とんだ誘惑ですな！」そう言いながら、彼はタバコを一本とった。そして目を細めながら、火をつけた。つづいて、それを唇から離すと、鼻の穴から煙を吐いて、いかにもたのしそうにながめていた。

「ああした儀式になりますと」と、司祭は上きげんで話しつづけた。「そこにどうしてもある一面――つまり、あなたがたのお好きな例のニーチェのいわゆる《人間的な……あまりに人間的な》一面のあることを避けられませんな。しかし、なんといってもああした宗教的感情、精神的感情の集団的表現というやつは、じつに感動的なものでしてね。むとんじゃくではいられませんな、そうお考えではありませんか？」

「さあね」アントワーヌは、ちょっとまをおいてから、気をひくように言った。彼は司祭のほうを向いて、ちょっとのあいだ、じっと黙ってながめていた。

おだやかな顔、じっと見つめるやさしい眼差し、打ちあけ話でもするような言葉のちょうし、そして、たえず瞑想にふけってでもいるように、首を左にかしげているところ、さらにまた、胸の高さにだるそうにあげている両手など、それらはすべて、アントワーヌが二十年このかた見なれたところのものだった。だがこの夕、彼は、ふたりのあいだの関係に何か変わったもののあるのに気がついていた。彼はきょうまで、ヴェカール神父を、ただチボー氏との関係においてだけながめてきた。神父は、父の精神的指導者にほかならなかった。しかるに、死はいまや、そうした仲介を不必要なものとした。そして、つい先ごろまで、彼をして、司祭にたいしてつつましく遠慮させていたところのあらゆる理由も、いまやまったくなくなっていた。司祭の前に立ちながら、彼にはいま、ただひとりの人間を前にしての人間といった気持ち以外何もなかった。そして、心労の多かったきょう一日の後、自分の意見を述べるのに手心をすることのできなくなっていた彼は、歯にきぬ着せずにこう言った。さも、重荷をおろすといった気持ちで。

「じつを言うと、そうした感情はぼくにとってぜんぜん交渉がないんです……」

司祭は、茶化すようなちょうしでこう言った。

「しかし、人の感情の中で、宗教的感情というやつは、わたしの思いちがいでないかぎり、相当ひろく人々に認められているものだと思うのですがね……どうお考えです？」

アントワーヌは、じょうだんを言う気持ちにはなれなかった。

「ぼくはいつも、中学の校長だったルクレール神父の言葉を思いだしていました。ちょうどぼくが哲学級の生徒だったとき、ある日、神父さんはこんなことを言われました。《世の中には、聡明でいながら、芸術的な感覚を持たない人がある。おそらくきみなども、宗教的感覚を持たないにちがいないな》校長としては、ちょっと警句を飛ばしてみられただけのことでしょう。だがぼくは、いつも、その日、校長はきわめてほんとうのことを言われたと思っていました」

「そうだとすると」と、司祭は、やさしい皮肉をつづけながら言った。「あなたはじつにおきのどくなかたですな。つまり、世の中を半分しかご存じないというわけですから！……さよう、重大な問題であるかぎり、それにたいして宗教的感情をもってしなければ、そのほんのわずかな部分だけしか理解できないようなものがほとんどすべてというわけですから。わがカトリック教のりっぱな点は……どうしてお笑いです？」

アントワーヌには、それがなぜであるか、当の自分にもわからなかった。おそらくは、興奮つづきの一週間、またいらいらしていたきょう一日のあとでの、単に神経性な反射作用とでもいうのだろう。

今度は司祭が微笑した。

「え？　わがカトリシスムのりっぱさを否認しようとお思いですかな？」

「とんでもない」と、アントワーヌは快活に答えた。「ぼくもたしかに、それが《りっぱ》であってほしいと思っています……」そして、彼は、ちょっといじわるそうなちょうしで言葉をつづけた。

「あなたがお喜びになるだろうと思いますから……しかし、それはそれとして……」

「え？」

「しかし、それはそれとして、《りっぱ》であっても、いっぽう合理的である必要もありましょう！」

司祭は、目の前で、両手をしずかに動かした。

「合理的！」と、司祭はつぶやいた。さも、この言葉が、彼として、いますぐとりあげることができないまでも、自分にちゃんとそのかぎが握られている無数の問題をひきだすところのもの、と考えてでもいるらしかった。司祭は、なにか考えていた。つづいて、いままでよりも挑戦的な口調で、

「あなたは、たぶん、宗教が現代人のあいだに勢力を失いつつあるものと考えていらっしゃる方のおひとりでしょうな？」

「それはわかりません」と、アントワーヌが答えた。司祭は、その穏健さにびっくりした。「たぶんそうではないでしょう。むしろ近代人の努力は、——ぼくのいう近代人とは、いわゆる文字どおりの信仰とはまったく縁のない連中ですが——暗々裡に、なにかひとつの宗教の要素をなすところのものを集めてみよう、ないし、総体的に考えてみると、けっきょく現在たくさんな信者が神といっているところのものと大差ないひとつの全体的観念を形成することになるところのさまざまな観念を、たがいに近づけさせようとするにあるようにさえみえるのですが……」

司祭は、これに賛意をしめした。

「まさにそのとおりであるべきではありますまいか？　まず人間の状態自身を考えてみなければなりませんな。宗教は、人間がその本能の中でもっともけがらわしいと感じているすべてのものにたいしての、たったひとつの償いです。これが宗教の貫禄ですな。と同時に、それは人間の苦しみにたいするたったひとつの慰めであり、たったひとつのあきらめの泉でもあるのです」

「そう、それはたしかにそうですな」と、アントワーヌは皮肉にさけんだ。「どうも世の中には、自分自身の安逸にもまして、真理を尊ぶといった人たちの数が少ないですな！　しかし、宗教は、精神的安逸の極致ですからな！……しかしお気にさわりましたらおゆるしください。世の中には、信ずることより、理解することに熾烈な好尚を持っている連中がおりましてね。そして、そうした連中は……！」

「そうした連中？」と、司祭はすぐに反発した。「そうした連中は、いつも知恵と推理という、きわめて狭隘な、きわめて脆弱な立場に身をおいております。そして、それよりうえへ身を引きあげようとしないのです。なんともきのどくな連中です。われわれから見ると、信仰は、もっとずっと広大な別の土台——すなわち、意思の土台、感情の土台のうえに、生き、かつ発展していっているんですな……そうお考えにはなりませんか？」

アントワーヌは、あいまいな微笑をもらした。だが、車内の灯火が暗すぎたため、司祭はそれに気がつかなかった。彼はなおも語りつづけていた。しかも、その熱心に語りつづけているところから推して、彼が必ずしも、いま口にした《われわれ》なる言葉を文字どおりに考えていないことがうかがわれた。

「今日、人々は、自分が《理解》しようと思っているからといって、自分たちがひじょうに強いものになったように思っています。だが、信じるとは、理解することです。そして、理解することは、信じることです。あるいはむしろ、《理解すること》と《信ずること》とは、ちがった尺度のうえに立つものであると言えましょう。今日、ある人々は、自分たちの、基礎づけのふじゅうぶんな、ないし、傾向的教養によって誤られたところの理知をもって説明できないことをもって、これを真なりとして認めることを拒絶します。これはつまり彼らが、じゅうぶん深く突っこんでいないからにほかなりませんな。神を確実に知ること、これを理知によってしめすこと、それは完全に可能なことです。そうそう、聖トーマ（聖トマス・アクイナス）の師ともいうべきアリストテレス以来、理知は明確に証明しているのです……」

アントワーヌは、じっと懐疑的な眼差しをそそぎながら、べつに言葉をはさむでもなく、司祭の話を聞いていた。

「……われらの宗教哲学は」司祭は、この沈黙をうすきみわるく思いながら言葉をつづけた。「これらの問題について、きわめて厳密な推理、きわめて……」

「神父さん」アントワーヌは、はじめて愉快そうに言葉をはさんだ。「あなたは、宗教的推理……とか、宗教哲学とかおっしゃる権利をお持ちでしょうか？」

「権利？」ヴェカール神父は、はっと驚いて聞きかえした。

「だって、厳密な意味において、宗教的思考などというものはほとんどないはずです。なぜかといえば、考えるということは、まず疑うということですから！」

「おお、おお、これはいったいどういうことになりますかな？」と、神父がさけんだ。

「ぼくはもちろん、教会がそんな小さな問題に手こずっておられるとは思いません……しかし、教会が、百年以上もまえから、その信仰と、近代哲学ないし近代科学のあいだに打ち立てようと苦心しているあらゆる関係は、多少とも……インチキな――こんな言葉をおゆるしください――もののように思われます。なぜかといえば、信仰をつちかうもの、信仰の目的たるところのもの、宗教的性向を強くつよく引きつけているものは、じつは超自然であり、そして、それこそは、哲学と科学とが否定しているものなのですから！」

司祭は、腰掛けの上でそわそわしていた。彼にはいま、これが単なるじょうだんでないことがわかりはじめていた。彼の声には、ようやく不満が見えてきた。

「するとあなたは、現代青年の大部分が、彼らの知識なり、哲学的推理なりによって信仰に到達しているという事実をぜんぜんごぞんじないようですな」

「やあれやあれ……」と、アントワーヌが言った。

「なんとおっしゃる？」

「率直に言って、ぼくには、直観的、盲目的なものとしてでなければ、信仰を考えるわけにいかないのです。信仰が、理知によってささえられているなんていうことだと……」

「では、あなたはまだ、科学なり哲学なりが、超自然を否定しているとでも考えておいでなのでしょうか？　ちがいますな。とほうもないまちがいですな。それは科学が、それに触れていないというだけのことなのです。それとこれとは大ちがい。いっぽう哲学は、いやしくもその名にあたいするものであるかぎり、哲学は……」

「その名にあたいするものですって……ほほう、危険な相手を、巧みに伏せておしまいでしたな！」

「……その名にあたいするようなものであるかぎり、すべて必然的に超自然にいたるものです」司祭は、相手の口出しをものともせずに言葉をつづけた。「いや、もっと押しすすめて考えてみましょう。たといそうした現代の学者たちが、その発見と教会の教義とのあいだに根本的な背反の存することを立証することができたとしても——もっとも、これは、わが護教論の現状から言って、ぜんぜん浅薄な、荒唐無稽な仮定と言わなければなりませんが——それがいったいなんの証明になりましょう？」

「やあれやれ！」と、アントワーヌは微笑しながら言った。

「なんの証明にもなりません！」と、司祭は、熱をおびて言葉をつづけた。「それは単に人間の知恵が、まだあらゆる知識を統一するところまでいっていない、つまり、よろめきながら進んでいる、ということをしめすだけのことなのです。そして、このことは」と、司祭は、親しみをこめた微笑を見せながら言葉をつづけた。「すべての人々にとってなにも新発見とは言えません……ねえ、アントワーヌさん、われわれは、もはやヴォルテール（フランス十八世紀の文学者、哲学者）時代の人間ではありません。わざわざ申しあげるまでもないでしょうが、無神論の哲学者たちのいわゆる《理性》は、いままでかつて、宗教にたいし、きわめていいかげんな、きわめてはかない勝利だけしか獲ちえたことがありませんでした。いったい信仰に関するどの一点をとってみても、かつて教会が非論理の責めを問われなければならなかったような点が、ただのひとつでもあるでしょうか？」

「ありませんな、たしかに！」と、アントワーヌは、笑いながら言葉をはさんだ。「教会は、いつも、あわやというときに思いなおすことを知っていました。神学者たちは、いつまでも論理学者たちにいじめられつづけまいとして、精妙な、そして表面論理的らしく見える議論をこしらえあげる点にかけてなかなか達者でした。ぼくの見るところでは、とりわけ最近、そうした手並みにかけては、じつにいやになるほど腕のさえを見せていますが、要するに、あらかじめ夢を見ようと思っているものしか、夢を見させないというわけです」

「ちがいます。むしろ反対に、教会の論理は、いつも相手を納得させずにはいないのです。というのは、教会の論理はずっと……」

「……ずっと繊細で、ずっとねばり強くて……」

「……あなたがたの論理にくらべると、ずっと深いものを持っているからです。これはおそらくあなたもお認めと思いますが、元来理性は、ただ自身だけをたよりにしている場合、それは言葉の建築にしか到達できないものであり、われらの心は、それではけっして満足できません。なぜでしょう？それはなにも、ふつうの論理では解決できない一連の真理があるためとか、ないし、神の観念が、ふつうの知恵の限界を超越しているらしいからではないのです。それはとりわけ——いいですか——われらの悟性が、それ自身だけでは、そうした微妙な問題になると、どうも力に不足を感じ、把握力に欠けているからです。換言すれば、真の信仰は、すなわち生きいきとした信仰は、理性をじゅうぶん満足させるに足るだけの説明を求める権利を持っているのです。しかし、そうしたわれらの理性自身は、聖寵によるみちびきを必要とします。聖寵こそは、悟性を照らすところのものなのです。真の信者は、神を求めるため、ただみずからの知恵の全部をあげて飛びかかるだけでなく、同時に、つつましく、神にたいして——自分を求めていてくださる神にたいして——みずからをささげなければなりません。そして、彼が論理的な思考によってみずからを神にまで高めることができたとき、彼は、みずからをむなしくし、みずからをあけ放し、みずからの身をくぼませ、その報いであるところの主を受け入れ奉り、迎え奉らなければならないのです！」

「つまり、真理に到達するには思想だけではふじゅうぶんで、さらに聖寵とおっしゃるところのものが必要だというわけですな……それは、語るに落ちたというものです。きわめて重大な問題です」と、アントワーヌは、意味ありげに沈黙していたあとで言った。

その言葉のちょうしをきいて、司祭はたちまち、こう言い返さずにはいられなかった。

「あなたは、時代の犠牲者でおいでになる……あなたは合理主義者でおいでになる！」

「ぼくは……——さて、自分がどんなものであるかを語るのは、いつもむずかしいことなんですが！——だが、じつのところ、せめて理性の満足だけは得たいものと思っています」

司祭は両手をふりまわした。

「懐疑の誘惑とおっしゃりたいところでしょう……つまり、ロマンチスムの名残りですな。迷いを見栄にするというやつ。さらに、大きな煩悶を得意にするというやつですな……」

「とんでもない」と、アントワーヌがさけんだ。「ぼくは、そんな迷いも、そんな煩悶も、また、あなたがおっしゃるようなあいまい模糊たる心の状態も知りません。けだしぼくほどロマンチックたらざるものはないでしょう。不安なんか、ぜんぜん知っていないのですから」

（こう言いながら、彼は自分の断言が、もはや正しくないものになってしまっているのに気がついた。彼はたしかに、ヴェカール神父の言うような意味での宗教的不安は持っていなかった。だが、三、四年このかた、彼もまた、大きな不安な気持ちをもって、宇宙を前にしての人間の無力を、はっきり知らされていたのだった。）

「それに」と、彼は言葉をつづけた。「ぼくが信仰を持たないにしても、それを失ったのだということはあたりますまい。むしろ最初から、それを一度も持ったことがないのでした」

「なんとおっしゃる！」と、司祭が言った。「お小さいとき、あんなに信仰の深かったことをお忘れになったとおっしゃいますか？」

「信仰が深かった？　ちがいましょう。従順だっただけなんです。熱心で、そして従順だっただけなんです。ただそれだけ。生まれながらにお行儀だけはよかったのでした。善良な生徒として、宗教上のおつとめだけはつくしていました。ただそれだけ」

「あなたは好んで、お小さいころの信仰を安く見つもろうとしておいでになる!」

「信仰ではありません。宗教的教育です。それとこれとはまったく別です!」

アントワーヌは、司祭をびっくりさせようというよりも、むしろ自分があくまで誠実でありたいと思っていたのだった。彼には、疲労のあとにつづいて、彼を反抗に駆りたてている軽い興奮が見られていた。彼はいま、彼としてかなりめずらしいことに、過去を通じての穿鑿(せんさく)とでもいったようなものを話しはじめた。

「そうなんです、そうした教育……」と、彼は言葉をつづけた。「ま、それがどういうふうにして組みたてられるものかをごらんください。まだほんの四つの時分から、母親とか女中とか、子供としてその言うことをきかなければならないあらゆる年上の人たちは、おりあるごとに子供に向かってこう言います。《神さまが天にいらっしゃる。神さまがおまえをごぞんじだ。おまえは、その神さまによってつくられたのだ。神さまはおまえをかわいがっていてくださる。神さまは、おまえを見ておいでになる。そしておまえをおさばきあそばす。神さまがお罰しになる。神さまがごほうびをくださる……》ま、ちょっとお待ちください……八つになる。おおぜいおとなのひざまずいている中を、大ミサにつれていかれる。聖体降福祭につれていかれる。花や灯火(ともしび)の中、香煙と音楽の雲の中、金色のりっぱな聖体龕(せいたいがん)を、あれだと言って教えられる。それ、白いご聖体のパンの中においでになるのが、やっぱり神さまなのだ。それもいいでしょう!……さて十一になると、説教壇の上から、堂々と、さも明白々なことといったように、やれ三位一体とか、キリストの降誕とか、贖罪とか、復活とか、無垢受胎とか、そのほかのことを聞かされる……子供は耳をすまします。そしてすべてを受け入れます。どうして受け入れないでいられましょう？　両親とか、友だちとか、先生がたとか、教会いっぱいの信者たちとか、そうした人たちのふりかざす信仰を見せられて、どうして疑ったりできましょう？いろいろな神秘を前にして、きわめて年のいかない子供として、どうしてためらったりできましょう？　この世にひとりでほうりだされ、生まれたときから、すべて神秘的なことに身をとりまかれていたのですから！……神父さん、どうかこのことをお考えください。ぼくは、これこそ根本の問題なのだと思います。そう、問題の核心はここにあります！……子供にとって、すべてはみんな不可解です。目の前に平らに見えているこの地球。だが、それは丸いのだと言って聞かされる。それは動いていないように見えるが、じつはこまのように宇宙をころがっているのだと言って聞かされる……太陽は、種を芽ぐませ、ひな鳥は、生きたままで卵から出る……神の子は、天からくだって、われらの人間の罪をあがなうため、十字架の上におかかりになった……そう……神は《言(ことば)》(三位一体中の第二人格)であった。そしてその《言》が、肉体になられた……これはたしかに難解ですな。縁なき衆生は度しがたし。もうそうきまっているんだから！」

列車がとまった。やみの中では、けたたましく駅の名を呼ぶ声が聞こえていた。ひとりの旅客が、誰もいないと思って、手荒くドアをあけた。そして、ぶつぶつ言いながらもとのようにそれをしめた。氷のような風がふたりの顔の上をさっとかすめた。

アントワーヌは、司祭のほうをふり向いた。顔だちも、もう、はっきりとはわからなかった。天井灯の光が、それほど弱くなっていたのだ。

司祭はずっと黙りつづけていた。

アントワーヌは、おだやかなちょうしに返って言葉をつづけた。

「どうでしょう、こうしたむじゃきな子供の考え方、これをも《信仰》と呼ぶことができるでしょうか？　とうぜん言えないと思いますな。信仰、それはもっとずっとあとになってから生まれるものです。信仰、それはもっと別の根を持ったものなのです。そして、ぼくには言えますな、ぼくは信仰を持たなかった、と」

「むしろ、あなたのお心にちゃんとその素地があったのに、そのお心の中に、それをお咲かせにならなかったというべきですな」と司祭は、とつぜんおこったようなちょうしで言った。「信仰は、記憶とおなじく、主からたまわるものなのです。そして、それは記憶とおなじように、また、主のたまわるあらゆるほかのものとおなじように、それを耕さなければなりません……しかるにあなたは……おお、あなたは……ほかの多くの人々同様、倨傲（きょごう）の精神、自由に思考するという一種の見栄、既成の秩序に反抗するという誘惑の前に、かぶとを脱いでおしまいになったのです……」

言いおわると同時に、司祭は、こうした清らかな怒りに身をまかせたことを後悔した。彼は、宗教的な論争には、足を踏み入れまいと固く決心していたからだった。

それに司祭は、アントワーヌの言葉のちょうしを誤解していた。青年のかみつくような声、気負いこんだちょうし、攻撃にあたってのたのしそうなちょうしは、青年の熱意にちょっとわざとらしい勇敢なちょうしを与えていたので、司祭は、そこに見られる絶対的な真剣さについて、好んで疑おうとしていたのだった。アントワーヌにたいする尊敬は、まえと変わらず深かった。そして、そうした尊敬の中に、ひとつの希望——希望というより以上のもの、ひとつの確信——チボー氏の長男たるアントワーヌであるからには、そういつまでも、なさけない、弁護の余地のない立場を守りつづけることはあるまいという確信を持っていたのだった。

アントワーヌは、考えていた。

「ちがいますな」と、彼ははっきり言い返した。「それは自然にそうなったんです。なんら倨傲(きょごう)な気持ちからでもなく、なんら反抗の下心からでもなく、それに第一、そうなろうなんて考えてさえもみなかったんです。思いだすかぎりにおいて、ぼくは最初の聖体拝受のときから、人が宗教というものについて教えてくれることのなかに、何かしら——さ、なんと言ったらいいでしょう——不自然な、落ちつかないもののあるのを漠然と感じはじめました。何かはっきりしないもの。しかも、それはわれわれ子供だけのことでなく、誰にとっても、そう、おとなにとっても、しかも、司祭さんたちにとってさえ、そう思われるだろうと言ったような……」

司祭は、思わず両手をあげずにはいられなかった。

「もちろんぼくは」と、アントワーヌは言葉をつづけた。「ぼくの知っている司祭さんたちの誠実さなり、その熱心さなり——というよりむしろ熱心たらんとする希望なりを、ぜったい疑ったりはしませんでしたし、いまも疑ってはいないのです。だが、そうした人たちそれ自身が、すでに暗やみの中を窮屈そうに動きまわっているといったようす、手さぐりに進んでいるといったようす、自分でも意識しない不自由さで、この稠密な教理の周囲をぐるぐるまわっているようなようすを見せています。なるほど、そうした人たちは断言していました。だが、何を断言していたのでしょう？　かつて他人が、彼らに断言したのとおなじことをではありますまいか？　もちろん彼らは、自分たちの伝える真理のことを、疑ってなぞいませんでした。だが、その心中の確信には、その口にする断言同様、はたして強く、確固たるものがあったでしょうか？　そうです、ぼくにはこの点、はっきり得心がいきませんでした……気持ちを悪くなさいましょうか……それには、比較するものがあったのでした。すなわち、ぼくたちが習ったライック（宗門外の人々）の先生たち……率直なところ、そうした先生たちのほうが、その専門とする部門において、ずっとしっかりしたものを持ち、ずっと《がっちり》していたように思われたのでした。その人たちは、文法を語り、歴史を語り、幾何を語ってくれました。そしてその人たちは、語るところを、完全に理解しているように思われたのでした！」

「比較なら比較で、比較できるもの同士でなければいけませんな」と司祭は、唇をつまみながら言った。

「だがじつは、ぼくはあの人たちの教授内容のことを考えているのではありません。ぼくはただ、ああしたライックの人たちが、われわれに教うべきことを前にしての、その態度について考えているにすぎません。たとえば、あの人たちは、自分に知識が欠けているようなときでも、その態度になんらあいまいなところを見せませんでした。そして、その逡巡、その無知識まで、すべて隠すところなくしめしていました。これはたしかに、信頼の念をおこさせました。そこにはなんら……ごまかしを思わせるものがありませんでした。いや、《ごまかし》と言ってはいけますまい。が、正直なところ、上級のクラスに進むにしたがい、中学校の聖職者たちは、大学の教授たちについて感じられるような、ああした信頼とでもいったようなものを感じさせなくなったのでした」

「その、あなたを教育した聖職者たちが」と、司祭が弁駁した。「真にりっぱな神学者たちであったとしたら、あなたは彼らとの接触によって、絶対的な信頼感を受けとられたにちがいないと思いますがね」（そう言いながらも、彼は、神学校の教師たちのことを、勉強ざかりの、そしてひた向きだった自分の青年時代のことを思いだしていた。）

だが、アントワーヌは言葉をつづけた。

「ひとつ考えていただきたいんです。ここにひとりの子供があって、これに少しずつ、数学を、物理学を、化学を教えていきます！　彼はたちまち、自分の目の前に、そこにみずからを発展させてゆくべき全宇宙を見いだします！　こうなると、宗教は、彼にとって、狭隘な、欺瞞的な、不条理なものに見えだします……いきおいそれを信じなくなります……」

司祭は、今度はぐっとそり返り、片手を前へさし伸べた。

「不条理？　あなたは本気で不条理とおっしゃれますか？」

「言えますとも」と、アントワーヌは力をこめて言った。

「それに、ぼくには、いままで考えてみなかったようなことまでがわかってきました。すなわち、あなたがたは、すべてひとつの確固たる信仰から出発され、そうした信仰を守るため、その助けとして理論を借りておいでになる。それに反してわれわれ、すなわちこのぼくのような人間は、懐疑から、無関心から出発する、そして、どこへ行くかなどは考えてもみずに、ただ理性によって導かれている、ということです。神父さん」アントワーヌは、微笑しながらすぐに言葉をつづけた。そして司祭に、反撃のすきをあたえなかった。「ぼくと議論してごらんになったら、ぼくには何もわかっていないんだということを、わけなくこのぼくにわからせてくださることがおできでしょう。それは、ぼくもあらかじめ認めています。なにしろ、そうしたことは、ぼくのほとんど考えてさえいない問題ですから、おそらくいままで、今夜ほどこの問題について考えたことはありますまい。ごらんのとおり、なにも自由思想家を気どったりはしていません。ぼくとしてはただ、ぼくのうけたカトリック的教育が、どうしてぼくのこんなふうになるのを——すなわち、ぜったい無信仰になるのを防げなかったか、それをお話ししたいというだけなんです」

「あなたのシニスムには驚きませんがね」と、司祭は、いささか苦しそうな上きげんをよそおいながら言った。「ご自身考えておいでになるより、ずっといいかただと思っていますよ！　さ、おつづけください、伺いましょう」

「で、実際には、ぼくは長いあいだ——ずいぶん長いあいだ——ほかの連中とおなじようにちゃんと戒律を守っていました……自分ではそう思っていない無関心な気持ちで……礼譲的といったような無関心な気持ちで。それだけではない、ずっとあとになってからも、ぼくはついぞ、調べてみようとか、吟味してみようとかいった気持ちを持ちませんでした。おそらくぼく自身、心中、そんなものに重きをおいていなかったせいもありましょう……そんなわけで、このぼくは、友人のひとりで美術技芸学校の受験準備をしていた男などとはまったくちがった気持ちでした。その男は、ある日はげしい懐疑におそわれ、こんな手紙をよこしました。《おれは全部にわたって調べてみた。友よ、信じるな。あまりにもボルトが少なすぎらあ。あれではとても成り立たないよ……》ぼくは当時、医学をつついておりました。で、絶縁——といいましょうか、むしろ離脱といったほうがいいでしょう——は、すでに行なわれていたのでした。ぼくは、一学年での、なかば科学的な勉強をまつまでもなく、証拠なしには信じてならないことを知ったのでした……」

「証拠なしに?」

「……そして、永久不変の真理などといった観念を捨てなければならないことを知ったのでした。なぜかといえば、われわれとして、十二分な保留をするとか、ないし反対の証拠でもないかぎり、何ひとつ真なりと認めてはならないからです……あいかわらず気持ちを悪くなさいましょうが、お怒りにならずにお聞きください。そして、これこそまえから申しあげたかったことなのですが——ぼくこそは、ひとつの症例——なんなら奇形的なとでも言えましょう——つまり、生まれながらの、本能的な無信仰の一症例とも言えましょう。これはひとつの事実です。からだもたっしゃ、相当みごとな均斉もとれていると思いますし、性格の点もきわめて活動的。そうしたぼくは、りっぱに神秘的思想なしでとおしてきました。ぼくの知っているかぎりにおいて、ぼくの観察したかぎりにおいて、何ひとつ、少年時代に考えていたような神の存在を思わせるものはないのです。そして正直のところ、ぼくは今日まで、りっぱに神さまなしですごしてきました。ぼくにとって、無神論は精神と同時に生まれました。ぼくは、何ひとつ、否定すべきものを持ちませんでした。とくにお願いしたいのは、ぼくのことを、心中絶えず神を呼びつづけている、信を見失った信者のひとり、ないし空虚と知りつつ空へ向かって、なお絶望的に腕をさし伸べている悩める者のひとりといったようにお考えにならないでほしいということなのです。そう、ぼくはぜったい、腕をさし伸べない男なのです。この世に神がなくっても、ぼくはきわめて平気です。そして、ほら、ぼくはこのとおり気楽なんです」

司祭は、否認のしるしに、その目の前で手をふって見せた。

アントワーヌは、なおも執拗に話しつづけた。

「じっに完全に気楽ですな。そして、これでかれこれ十五年、ずっとこのとおりというわけなんです……」

彼は司祭の怒りがたちまち爆発するだろうと思っていた。だが、司祭は黙りつづけていた。そしてしずかに頭をゆすっていた。

「それでは純然たる唯物主義的理論というわけですな」と、とうとう司祭が口を切った。「あなたはまだ、そんなところにおいでなんですか？　お話によると、あなたはただ肉体だけしか信じておいでにならぬ。それでは、まるでご自身の半分——しかもなんたる半分でしょう！——だけしか信じておられぬというわけです……だが、ありがたいことに、それはすべて、ほんの見せかけだけ、うわっつらだけにすぎないのでしてね。あなたご自身、あなたの真の力というもの——あなたの受けられたキリスト教の教育が、あなたの中にどんな隠れた力を残しているか、それをまったくごぞんじない。あなたは、そうした力を否定なすっておいでになる。しかし、そうした力こそ、あなたを導いているのでしてね!」

「なんとお答えしたらいいでしょう? 断言しますが、ぼくは、ぜったい何ひとつ教会から受けていません。ぼくの知識といい、ぼくの意思といい、ぼくの性格といい、すべては宗教外で発展させられたものなのです。いや、宗教に反して、とさえいえましょう。ぼくにとって、カトリックの神話は、異教の神話とまったくおなじで、ぜんぜん交渉を持っていません。宗教と迷信と、ぼくにとってはひとつなんです……ええ、虚心坦懐に言って、キリスト教の教育から受けたものは、ぜんぜんゼロというわけなんです!」

「ぜんぜん目が見えておいでではない!」と、司祭は、とつぜん、腕をあげながらさけんだ。「おわかりになりませんかな? あなたの毎日のご生活——お仕事、義務、身近なものへの献身的なおつとめ、それこそすなわち、あなたご自身の唯物主義への、明白な否認であるとお考えにはなりませんか? じつのところ、あなたほど神を持っておいでのかたは少ない! あなたほど、なすべきことについての自覚をもっておいでのかたはなく、あなたほど、この世においての責任感に燃えておいでのかたもない。どうです! これこそ、暗黙のうちに神の委任を受けておいでになる、その証拠ではありますすまいか？　神以外の、はたして誰にたいして責任をお持ちになるというのです？」

　アントワーヌは、すぐには返事をしなかった。そして、司祭は一瞬、みごとに急所を突いてやったと思った。だが、事実、アントワーヌには、司祭の反駁が、ぜんぜん根底を欠いているもののように思われた。仕事に誠実であるということ、それが必ずしも神の存在、キリスト教神学の価値、また何か形而上学的な確実さをあらわしているもののようには思われなかった。つまり、この白分自身、それを証明しているのではないだろうか？　だが、彼はあらためて、自己の精神的信念の欠乏と、自分の生活にたいする極度の良心とのあいだに、なんとも説明しがたい不一致のあることを感じていた。人間は、自分のなすことを愛さなければならない。だが、なぜ愛さなければならないのか？　つまり、社会的動物たる人間は、その努力により、順調な社会の進展、その進歩をつくさなければならないからだ……おお、なんとたよりのない断定、なんと人間を愚にしたような仮定！　しからばそれは、いかなるものの名においてか？　これがいつも問題だった。これにたいして、彼はいままで、ついぞ真実の回答を見いだすことができずにいた。

「なるほど……」と、彼はようやくつぶやくように言った。「そうした誠実さのことですか？　それは、われらおのおのの心の中に、十九世紀間にわたるキリスト教が残していったおりなんです……そうなると、ぼくがさっき、自分のうけた教育——あるいはむしろぼくの遺伝と言いましょうか——の係数を、ゼロであると言いきったのは、少し早まっていたかもしれません……」

「ちがいます。こうしてわれらの中に残っているもの、それこそは、わたくしの言った神の酵母ともいうべきところのものなのです。他日、その酵母が働きだすにちがいない。そして、ねり粉全部を発酵させてくれるのです！　そして、その日こそ、あなたのご意思いかんにかかわらず、これまでどうやらこうやら引きつづいていたあなたご自身の精神生活が、その中軸なり、その真の意味なりを見いだすことになるときです。神というものは、人が否定しているかぎり、いな、これを求めているときでさえ、理解することができないのです……ところがです、ある日、思いもかけず、あなたは自分が港にはいっていることに気がおつきになる。そして、その日こそ、神を信じさえすれば、すべてが明らかになり、すべてが調和してくることがおわかりなのです！」

「そんなことなら、もういまからでも認めていますが」とアントワーヌは微笑しながら言った。「それにぼくは知っていますが、元来われらの欲望は、多くの場合、それ自身ちゃんとそれをいやすための薬を考えだします。そして、ぼくはすすんで認めますな、大部分の人たちには、信じたいという欲望がひじょうにさかんであり、それが本能的なものである結果、自分の信じるものがはたして信ずるに足るかどうか、ほとんどそれを考えもせずに、信仰への欲望に駆られるままに、なんでも真理だと思うのです……それに」と、彼は、傍白といったようなちょうしで言った。「ぼくは、大部分の聡明なカトリック信者、とりわけ教養のあるたくさんな司祭がたが、ご自身たちもそれと知らずに、多少とも実用主義者でおいでになることを考えずにはいられません。ぼくに受諾できないような教理なら、同様に、近代教養をうけたすべての人々にも受諾できないはずでしょう。ところが、信者たちは、その信仰にしがみついているんですな。そして、その信仰を動揺させないため、彼らは考えすぎることを避け、もっぱら宗教の、感情的、道徳的方面にばかりかじりついているんですな。さらに、教会が、彼らにたいし、あらゆる異論は、久しい以前、もののみごとに反駁しつくされていると、きわめて巧みに納得させているために、彼らは、自分でそれにぶつかってみようとしないのです……や、失礼、とんだわき道へそれました――つまりぼくは、ただ信ずるという欲求自体、それがいかに一般的なものであっても、ただそれだけの事実をもって、あいまいな点や神話的な部分が山ほどあるキリスト教のそのひとりよがりの証明にかわらせるわけにいかない、ということを言いたかったまででして！」

「人にして神を感ずるとき、神を証明することは問題ではありません」と、司祭が言った。そこに、はじめて、抗弁をゆるさないようなちょうしがうかがわれた。

それからすぐに、彼は、親しげな態度で身をかがめた。

「どうもわたしのふに落ちないのは、それはあなたご自身、すなわちアントワーヌ・チボーさんが、そうした言葉をもてあそばれるということです！　わが国の多くのキリスト教徒の家庭においては、ざんねんながら子供たちは、さも自分たちに教えられている神が存在していないかのように思わせる、両親たちの暮らし方なり、日々の生活の模様なりを見せられています。ところが、あなたの場合はどうでしょう！　あなたは、ずっとお小さい時分から、たえず家庭に主のいますことをみとめておいでになれました！　お父さまの一挙手一投足、すべて主のみ旨によってなされているのをごらんだったあなたが……」

ちょっとのあいだ沈黙がつづいた。アントワーヌは、さも返事を控えるとでもいったように、じっと司祭をみつめていた。

「そうです」アントワーヌは、唇をひきしめながら言った。「そのとおりです。ぼくは、悲しいかな、主を、いつも父をとおしてばかり見ていました」その態度なり、語調なり、それは、言外のすべての意味を語っていた。「しかし、きょうはこの問題に触れますまい」と、彼は、話を切りあげようとして言った。そして、ひたいを窓ガラスにあてた。

「クレーユですな」


列車は、速力をゆるめて、停車した。天井灯は、いままでよりも明るくなった。アントワーヌは、誰か旅客がはいってきて、これ以上話をしないでもすむようにと望んでいた。だが、駅には、人っ子ひとりいないようだった。

列車はふたたびゆるぎ出した。

かなり長い沈黙のあいだ、ふたりはおのおの、自分自分の考えにふけりこんでいるようだったが、やがてアントワーヌは、ふたたび司祭のほうへ身をかがめた。

「ねえ、神父さん、ぼくには少なくもふたつのものが、ぼくのカトリックへ立ちもどることを妨げているように思われるんです。そのひとつは、罪の問題。ぼくにはとうてい罪の恐怖というものが感じられそうもないんです。次はすなわち《神》の問題。ぼくにはどうも、人格者たる神の観念がみとめられそうもないんです」

司祭は口をつぐんでいた。

「そうなんです」と、アントワーヌは言葉をつづけた。「あなたがた、カトリックのかたがたが罪と呼んでおいでのもの、それはぼくにとってむしろ反対に、潑剌としたもの、力づよいもの、また本能的な——ためになるもの、といったように思われるんです！　つまりそれこそ——さ、なんと言ったらいいでしょう？——物に触れさせてくれるところのものなんですな。そして、前進させてくれるところのもの。もし人間が、いつもおとなしく罪から目をそむけていたとしたら、そこにはおそらくなんの進歩も……——そう、ぼくは、進歩という言葉にたいしてだまされてはいないんですが、でも、相当便利な言葉ですな！——なんの進歩もあり得ないだろうと思うんです。だが、この問題には、そうとう議論も出てきましょう」彼は、司祭が軽く肩をすくめて見せたのにたいして、皮肉な微笑で応じた。「いっぽう、《神》の仮定、これはぜんぜん不可能です！　もし何か、いやおうなしにぼくにせまってくる観念があるとしたら、それはたしかに、宇宙的な冷淡さ、とでもいうようなものでしょう！」

司祭は思わず飛びあがった。

「でも、あなたがたのおっしゃる《科学》それ自体、けっきょくいやおうなしに至上律を認めるものではないでしょうか？　（わたしはわざと、《神のおぼしめし》という、もっと的確な言葉を用いるのを避けますがね……）もし人にして、すべての現象に君臨し、しかもこの世のすべてのものにその痕跡のしめされている至高な知恵を否定するとしたら、またもし自然の中にあって、すべてがひとつの目的を持ち、すべてがひとつの調和をめざして造られていることを拒むとしたら、すべてはぜんぜんわからなくなってくるでしょう！」

「しかし……それもしかたがありますまい！　われらにとって、宇宙はまったく不可解なんです。ぼくはそれを、ひとつの事実として認めています」

「その不可解なもの、それがすなわち神なのです！」

「ぼくにとってはしからずですな。ぼくはまだ、自分に不可解なことのすべてを《神》と呼ぶだけの誘惑に負けたためしがないんです」

彼は微笑した。そしてしばらくのあいだ話すのをやめた。

司祭は、いつでも防御に立ちうる態度を持しながら、じっと彼をみつめていた。

「それに」と、アントワーヌは、あいかわらず微笑しながら言った。「カトリック信者の大部分のものにとっては、神という観念は、《親切な》神、親しみのある個人的な神、といったような子供らしい観念に還元されています。つまり、われらおのおののうえにじっと目をそそぎ、われら微小なもののの心の、そのほんのちょっとしたゆらぎさえもほろりとした心づかいで見ていてくれ、そしてわれらのおのおのが、たえず《主よ、われを導きたまえ……》とか、《主よ、何々せさせたまえ》とかいう祈りで、相談をかけることのできるような神なんです。神父さん、どうかぼくの言うことをわかってください。ぼくはけっして、口から出まかせの皮肉で、お気持ちを悪くさせようなどとは考えていないのですから。ただぼくには、宇宙の生命の、ほんの極微な所産たるわれらのひとりと（あるいはさらに、ほこりの中のほこりにしかすぎないこの地球、といってもいいでしょう）、それと他方、この大きな《全宇宙のおきて》たるところの神とのあいだに、ほんのわずかばかりの心理的関係、わずかばかりの問いかけと受け答えの関係さえも考えられずにいるんです！　こうした神にたいして、何か人間的な感覚とか、父親らしいやさしさとか、同情の心とか、どうして考えることができるでしょう？　あるいはまた、秘跡の効能とか、祈禱とか——金をはらってしてもらう誰それのための、おミサとか、いま煉獄に送られているひとつの霊のための、おミサとか、どうして本気で受けとれましょう？　ねえ、カトリック教のそうした儀式、そうした信仰、それと、そのへんの原始宗教、異教徒の献祭、未開の民が偶像の前にささげる供物などと、そこには事実上なんら本質的な相違がないのです！」

司祭はあやうく、事実自然宗教といったようなものがあり、それはすべての人々に共通なものであり、そしてそれもまたまさにひとつの信仰個条たるべきものであると答えかけた。だが、またもや彼は思いとまった。彼は、自分の席に身をうずめ、腕を組み、指先をそでの中にうずめて、根気のいい、と同時に、あきらめと、いささかの皮肉をまじえた態度で、当座の思いつきによるアントワーヌの話の終わりを待ってでもいるようだった。

いっぽう、旅は終わりに近づいていた。列車はすでにパリ郊外のいくつかの転轍器の上をわたって、はげしい動揺を見せていた。湯げにくもるガラス窓の向こう、やみの中には無数の灯火がきらめいていた。

まだ言いたりなかったアントワーヌは、いそいで次のように言葉をつづけた。

「それに、神父さん、ぼくの用いたいくつかの言葉については、どうか誤解なさらないでください。ぼく自身、こうした哲学方面のことを大胆に口にするだけの資格のないことを知っています。しかしぼくは、あくまで率直でありたいと思っています。ぼくは、《大いなる秩序》《宇宙のおきて》のことを口にしました……つまり、誰でもが言うようなことを言おうと思ってのことなのでした……実際において、そうした《秩序》は、これを信じるとおなじだけの理由で、これを疑うこともできるでしょう。現在ぼくの立っている立場からいって、一個の人間的動物たるぼくの目は、荒れ狂う無数の力の大きな混乱を認めています。しかし、それらの力が、はたしてひとつの全般的法則――つまりそれらの力の外にあり、それらの力と独立している、ほかのひとつの法則にしたがっていると言えるでしょうか？　それともなにか――さ、なんと言ったらいいでしょう？――内面的な法則、ひとつひとつの原子の中に存在し、そして、それらの力をして《個性的》ともいうような運命を遂行させる法則、すなわち外からそうした力をおさえることなく、それと一体になってしまうような法則、いわば、そうした力を元気づける法則とでもいったようなものにしたがっていると言えるでしょうか？……そして、さまざまな現象のたわむれは、それははたしていかなる程度にまで統一がとれているのでしょう？

ぼくとしては、むしろひとつひとつの原因がほかの原因の結果であり、ひとつひとつの結果はほかの結果の原因であり、こうしてすべての原因は、無限にそれらの原因相互から生まれるものであると言いたいんです。どうしてむりやり《至上律》などを考えだす必要があるでしょう？　つまりは論理学的精神の誘惑ですな。無限にわたり、ひとつがひとつを産んでいくこうした無数の運動について、なにを苦しんでひとつの共通な方向を求めようなんてするのでしょう？　ぼくは、たびたびこんなことを考えました。つまり、すべては、そこになんら目的がないかのように、なんら意味がないかのように、すぎ去っていっているだけだ、と」

司祭は、黙ってアントワーヌをながめていた。だが、目を伏せると、氷のような微笑を浮かべて言った。

「なるほど、それ以下の考え方はなさそうですな」

それから彼は、ドゥイエット（僧侶の着る綿入れの絹の長マント）のボタンをかけようとして立ちあがった。

「こんな話をお耳に入れたことをおゆるしください」と、アントワーヌは心からすまなそうに言った。「こうした話は、けっきょく相手の気持ちを悪くさせる以外、なんの役にもたちません。ぼくはきょう、なんでこんな気持ちになったのかしら？」

ふたりは、並んで立っていた。司祭は、悲しそうな眼差しで青年をみつめた。

「あなたは、友人にたいしてといったように、思ったとおりを話してください。少なくもその点、わたしはうれしく思っています」

彼は、もっとほかのことを言おうとして、ためらってでもいるらしかった。だが、すでに列車はプラットフォームにとまりかけていた。

「車でお送りいたしましょうか？」と、アントワーヌは、いままでとちがったちょうしで言った。

「おねがいしましょう……」

タクシーに乗ってからのアントワーヌは、これから自分を待ち受けている複雑な生活に心を奪われて、何か心配そうなようすで、ほとんど口をきかなかった。相手もおなじく黙りこんで、何か考えこんでいるらしかった。だが、車がセーヌ川を渡ったとき、司祭はアントワーヌのほうへかがみこんだ。

「あなた……おいくつでしたかな？　三十？」

「やがて三十二です」

「まだお若い。いまにおわかりになるでしょう。ほかの人たちにしても、やはりわかったのですから！　いずれあなたの番がきましょう。人生には、神なくしてはいられないときがあります。おそろしい中でもおそろしいのは、それは最後のとき……」

《そうだ》と、アントワーヌは思った。《死の恐怖……ずっしり重く、あらゆる文化的なヨーロッパ人のうえにのしかかっているところのもの……そして、そのために、生きようという気持ちまでが、多かれ少なかれそこなわれているのだ……》

司祭は、あやうくチボー氏の死のことを口にしかけた。だが、彼はそれをこらえてのけた。「ご想像できますかな」と、司祭は言葉をつづけた。「主を信じることなく、また、彼岸にあって手をさし伸べておいでの慈悲ぶかい全能の父のお姿を見ることなしに、永遠のふちに立つということを？　そして、ぜったいの黒暗暗裡、いささかの希望の光も見ずに死んでいくということを？」

「いや、そのことなら、あなた同様、このぼくにだってわかっています」と、アントワーヌは、勢いこんで答えた。（彼もまた、父の死のことを思っていた。）「ぼくの職業も」と、彼はちょっとためらったあとで言葉をつづけた。「あなたとおなじく、死にかけている者に接することにあるのですから。それにぼくは、おそらくあなたよりもずっとたくさんの不信心者の死に立ちあっているでしょう。そして、おそろしい思い出のかずかずを持っているこのぼくは、もし臨終にのぞむ病人たちに信仰をあたえてやることができたとしたら……とさえも思っています！　ぼくはけっして、死にのぞんでの堅忍主義に、神秘的な尊敬を感じていたりはしないのです。ぼくとしては、そうした期に臨んで、じゅうぶん安心できるような確信を持ちたいと、なんら恥ずるところなく思っています……。そして、希望のない終焉は、モルヒネのない臨終同様、おそろしいものと思っています……」

彼は、ふるえる司祭の手が、自分の手の上におかれるのを感じた。たしかに司祭は、この思いもかけぬ告白を、さい先よいしるしとでも考えようとしているらしかった。

「そうなのです、そうなのです」と、彼は、感謝をこめた熱意を見せながら、アントワーヌの手を握った。「そうなのです。あなたにしても、われらとおなじく、他日必ずそのかたを必要とされることでしょう。どうか《慰めたもうおかた》のほうへ向かっての、あらゆる道をふさがないでおおきください。つまり、祈りを忘れずにおいでください」

「祈り？」と、アントワーヌは、首をふりながら反対した。「だって、そんなばかばかしい呼びかけを……いったい何に向かってするのです？　なぞのような《秩序》に向かってとおっしゃいますか！　盲目な、口をきかない——冷然とした《秩序》に向かってとおっしゃいますか？」

「それはどうでもいいでしょう……そう、その《ばかばかしい呼びかけ》ですな！　わたしを信じていただきたい！　たといあなたの考えておいでの仮の終局点がどこであろうと、また、さまざまな現象を立ちこえて、おりおりちらりとあなたのお目にうつる、その《秩序》なり《おきて》なりの不明瞭な観念がどうであろうと、そんなことはどうでもよろしい、あなたはそちらのほうへ向き直って、そしてお祈りをなさるのです！　わたしの切なるお願いです、そうした孤独にとじこもるかわりに、どうかすべてを為してください！　たといいまがいま、なんら感応の事実が見られず、単にうわべのひとり言にとどまるにしても、どうか《無限》にたいする接触を忘れず、それと語るべき言葉を忘れないでいらしってください！……はて知れぬこの暗黒、この没人格、この不可解な大きな《なぞ》、それがなんであろうとかまいません、ただただそれに祈るのです！　《不可知》にたいして祈るのです。ただ一心に祈るのです。《ばかばかしい呼びかけ》をおつづけください。いつかはおわかりになるでしょう。その呼びかけにたいしてこそ、とつぜん、心の中の沈黙が答え、やすらぎの奇跡が答えるのですから……」

アントワーヌは、答えなかった。《絶対隔絶……》と、アントワーヌは思った。だが彼には、司祭がとても興奮していることが感じられた。そして、もうこれ以上相手を心痛させるような言葉を吐くまいと思った。

それにもう、グルネル町にかかっていた。

車がとまる。

ヴェカール神父は、アントワーヌの手をとってそれをしっかり握りしめた。ついで、車からおりるに先だち、暗い車内に身をかがめ、変わった声でこうささやいた。

「カトリシスムというものは、まったくちがったものなのです。それは、あなたがきょうまでごらんだったものにくらべて、ずっと、ずっとすばらしいものなのです……」

父の死　了

解説

死をまえにして、人間は何をなし得るのか？

前巻『ラ・ソレリーナ』とこの『父の死』とのあいだには、時間上の空白がない。これまで飛び石をわたるようなぐあいに進められてきたチボー家年代記が、いまは重苦しく停滞した時間にどっぷりとつかっている。チボー氏の刻々と悪化する病状から目をそらすことができないからである。それどころか、最初の二章は前巻の時間と重なっている。つまり、アントワーヌがジャックを捜しにローザンヌへと出発した直後の、チボー氏の病室へと逆戻りするのである。

オスカール・チボーにはもはや、家人たちに芝居を演じてみせるような気力も体力もない。いまや確実なものとなった自分の死をまえにして、「助けてくれ！」と叫ぶだけの哀れな人間になりはてているが、その恐怖を和らげてくれるアントワーヌはスイスへと出発して留守である。こんどこそ、自分ひとりで死と対峙しなければならない。

《おばさん》が呼びよせたヴェカール司祭を見た病人は、「あんたじゃない！　アントワーヌだ！　アントワーヌはどこにいる？」とわめきたてる。かつてのカトリック社会の重要人物が、いまは神よりも医術に助けを求めている。そして、臨終者へのはげましを与えようとする司祭に、「何をいったいつべこべと！……よしてくれ！わしは死にかけているんだ……助けてくれ！」と叫んで、司祭の顔を——生きた顔、自分と無関係な顔——として憎しみをもって見やり、世の中からおし出され、独りぼっちで死なねばならぬという救いようのない孤独のえじきとなりはてる。永生とか、恩寵とか、神とかいう言葉が意味のないものとなり、できることなら司祭をなぐり殺してやりたいとさえ思う。……だが、このみぐるしい最期のあがきを、たんにチボー氏だけのこととして読んではならない。私たちすべてに、確実にこの瞬間がくることを忘れてはならないのである。

すべての人間が、死ぬときには、独りぼっちで死んでゆかねばならない。その瞬間には、世界全体が彼にとっては冷酷で無関心なものとなるであろう。この真底からの寂しさを絶対的孤独と言うことができる。来世に希望を与えてくれる宗教が魂を救い得る場合には、現世との訣別も不条理なものとはならない。もしくは、司祭が考えるように、「近づきつつある《死》にたいし、これを否定せず、むしろ進んでこれを正視し、さとりすましてこれを受け入れる」ことができる場合には、チボー氏のように苦しまずに死を迎えることができるかもしれない。しかし、虚飾の生を送ってきたオスカール・チボーには、そのどちらもむずかしい。いや人間すべてにとって、それは非常にむずかしいことなのである。

チボー氏の信仰は荒廃してしまった。というより、彼の信仰はもともと本物ではなかったのである。俗に、人は死に直面したときにだけは真実を語る、というが、チボー氏にもそのような特権的瞬間が訪れる。司祭がチボー氏の生涯を「まさに有徳のかたのご一生」と言って慰めるのをきいて、チボー氏は「ちがいますわい！」と否定し、自分の欺瞞の一生について、はじめて直観的な反省をめぐらす。一瞬のうちに全生涯の真実を垣間見る彼にとってただ一度の、最期の神秘な瞬間である。そして彼は、「あなたが悪いんだ。なぜまにあううちに、なんとか言ってくださらなかった？」と司祭に浴びせかけるが、このとき司祭は、チボー氏の非難によって内心の痛いところを突かれた思いをする。司祭は教会側の利益を考えて、この実力者を甘やかせてきたのであった。
そこで司祭はいまや、表面的な慰めの態度を捨てて、真実をもって説得しようと決心する。すなわち、たとえチボー氏の一生が必ずしもつねに教化善導のよき典例でなかったとしても、最期の瞬間に、その信仰なき生活にも主のみ手がさし伸べられるものであること、そして、真に信者らしいりっぱな最期をとげることこそが、少なくとものちのちのため、良き模範をのこすことになること、を説いてゆく。病人はしだいに落ちつきを取り戻し、「オスカール・チボーは、聖者のように死んでいった」と言われたいという気になる……やはり虚飾によってしか瞑目することができない。そのあと、司祭のさとしによって、チボー氏は「ただ死を恐れなくなったばかりでなく」、「かつて覚えなかったような幸福感」をさえ抱くようになる。司祭は「訴訟に勝った弁護士の満足感」と同時に、ある悔恨をおぼえる……この際、次の数行にはきわめて重要な意味が含まれている。

司祭は、ずっしりとした、落ちついた、特にこれこれの言葉に力を入れなければならないという彼一流のやり方を心得ていた。そして、そういうとき、彼は、かなり説得力のある重々しさでその手をなかば差しあげるのだった。だが、その単調な言葉づかい、長い鼻をもった無感覚な顔だちからは、ほとんどなんの熱意もうかがえなかった。それにもかかわらず、こうした聖なる言葉が、いかにもすみやかに、きっぱりと、はげしい恐怖、そうした反抗をおさえることができるというのは、それらの言葉自体にじゅうぶんの力があり、それが何百年にわたる経験の結果、人間臨終の不安にぴったりあてはまるようにできていたからにちがいなかった。

ここでは、作家の意図について触れることも必要なことかもしれない。引用した個所には、教会や聖職者にたいして生涯にわたって批判を持ちつづけたマルタン・デュ・ガールという作家の、「人間生活にとって宗教は必要なものなのだ」という考えかたが述べられているからである。少年時代から宗教の問題で苦しんできたこの作家は、けっして悩みなき無神論者ではなかった。彼の作品に宗教が占める大きな地位が、このことを証明する。人間の魂の問題に目をこらし、善と悪との境界を定める規準をいずこに求めるべきかを苦しく模索して、モラルの問題の追究を生涯の目標としたこの人は、教会や聖職者を介さなくてもよければ、直接「聖なるもの」と対話し得た人だったのである。青年期において、旧約聖書に猛烈に反発すると同時に、愛を説く福音書には全面的に共感した彼であった。ただ、自分が出身したカトリック・ブルジョワ社会を批判しつづける彼は、その牢固たる因襲性をささえる教会と聖職者を憎んできた。それが彼を神からも離反させたのである。すなわちマルタン・デュ・ガールは、無神論者というより、反聖職主義者と呼ばれるのが、いちばん正しいのである。しかし彼はしばしば、「神は存在しない。しかし宗教は、かよわき人間にとって絶対に必要なものである」と言う。これは、彼が何よりも、人間生死の問題に専念する作家だったからである。

右の考えかたが、ヴェカール神父の導きによるチボー氏の恐怖の鎮静となって示されている。しかし、いまや一種のさとりに達したチボー氏は、すべてがどうでもよいものと思われるようになり、「世界は、自分とは交渉のない、ぴたりと門をとざした一個の《全》を形作っている。そして、瀕死の自分は、「もはやそこには身の置きどころがない」と感じられ、「神とさし向かいのひとりぼっち」となった自分の寂しさは、「主がいますということをもってしても打ち消し得ない」ことを知るのである。何物をもってしても、死にゆくチボー氏の絶対的孤独を打ち消すことはできない。ただ宗教は、無益な反抗という地獄から彼を救ってくれたのである。

いっぽうジャックは、アントワーヌとともに、パリへと戻る汽車に乗りこんだ。兄弟が帰宅したとき、父は発作をおこしている。腎臓がつまって分泌をやめ、尿毒症が痙攣症状をひきおこしているのであった。

ジャックはベッドから落ちかける父を、しっかりと抱きあげてやる。しかし父の苦しみを見ているのが恐ろしくなって、そっと部屋を出てゆく。瀕死の人の苦しみ、とくに肉親の病苦が、見ている者にも耐えきれぬ肉体的圧迫となってきて、むしろそれから逃れたいという利己的な欲求をおこさせるということ——ここに、人間のもろい肉体がかよわい精神に及ぼす支配力がある。医師であるアントワーヌといえども、こと肉親の場合となると、やはりジャックとおなじ耐えがたい苦痛を感じぬわけにはいかなくなり、それが極限に達すれば、それからの逃避を願う気持ちが起きてくるのをどうすることもできなくなる。ここに、あの『診察』の巻で不発のままにおわっていた「安楽死」の問題が、再提起されてくることになる。『診察』では、医師アントワーヌにとってエッケの娘の死苦は、ただ往診に行ったときに接する患者の苦しみ、そしてしょせん他人の問題というのにとどまっていて、その病人の苦しみは、アントワーヌ自身の肉体や精神を苛(さいな)むというほどのものとはならなかった。しかし、つききりになって接している父の死の苦しみには、彼もあくまで職業的平静さを保ってゆくことはむずかしくなってくる。

発作がひどくなったのを知ると、アントワーヌもジャックも、「心にもないひとつの希望」にそそのかされる。それは、ついに臨終がきたか、という期待の気持ちである。しかし、チボー氏の終焉はなかなかやってこない。偶然ジャックが、なぜモルヒネの注射をやめたのか、と尋ねたとき、アントワーヌが「排泄がとまったからだ。それをやったら、殺すことになるのだから」と答える場面がある。ここでは簡単に、そのような兄弟のやりとりだけが数行に書きとどめられているにすぎないが、この偶然の会話が兄弟の心に何を暗示することになったか、それは読者が汲みとらなければならない。

尿毒症の発作がほとんど間断なしにやってきて、病人を激しい痙攣でのたうちまわらせる。その「うめき声は中庭に反響し、家中をおびえあがらせる」ほどで、家番が、窓だけでなく、鎧戸もしめてもらいたいと求めてくるしまつである。その猛だけしい荒れ狂いかたは、まるでオスカール・チボーのあたりをはばからぬ専横の生涯を象徴しているようである。回復への希望もなしに頻繁な発作に苦しむ父を見てたまらなくなったジャックは、兄に、「考えてほしいんだ！　楽にしてあげなくちゃ！　何か見つけてあげなくちゃ！　どんなことをしてでも！」と、暗に安楽死のためのモルヒネ注射を求める。

このときアントワーヌは「軽蔑のようすで」肩をそびやかし、父を少しでも楽にしてやるために入浴させることを決意する。たとえ絶望とわかってはいても、早急な解決策を拒絶し、できる限りの手を尽くすのが医者のなすべきことである。このアントワーヌの医師としての処置と同じものを、私たちは最終巻『エピローグ』において、救いがたい人類の愚行に対するせめてもの処方箋を模索するアントワーヌの現実主義のなかに、最発見することになるであろう。アントワーヌが安楽死という最後の手段を選ぶためには、さらに患者の苦悶の経過を充分に見とどけるという、実際的経験の段階を踏む必要があったのである。

チボー氏のからだが幾人もの手でやっと湯につけられる、大袈裟な入浴の場面。その「大きな、ぶよぶよした、白っぽい肉体」。ジャックは「自分を生ませたその人をはじめて赤裸な姿で」見て、自殺したあるイタリア人の淫猥な死体を思い出す。そして父の体のじっとりとした感触にびっくりして、思わずはっとする。それは、サルトルの言う「ねり粉でねられた肉体という存在するもの」を前にしての怖れの感覚なのか、それとも、「同情とか愛とかをずっと立ちこえた肉体的な感動。人が人にたいする利己主義的な愛情」なのか。

友人の医師テリヴィエが何も言わずに帰ってゆくのを見て、アントワーヌは、自分もまたそれまでに幾度か重病人の枕もとを去るときに、ほっとした気持ちを味わったことを思い出す。彼はいま初めて、身内の者としての苦しみを、――あのエッケ夫妻の苦しみを、――体験させられているのである。

死の病人がみせるあまりにも恐ろしい「地獄絵」に、いまはただ「早くすんで！」という狂おしい希望ひとつに心を集中させられるアントワーヌは、「精神的抵抗力が肉体の疲労に抵抗し得ない程度に達した』いま、「何も打つ手がないなんて！」といらだつジャックにたいして、「ある。やっていい方法がひとつある」とつぶやくように言う。ここで兄弟は父の苦しみ、そして自分たちの苦しみを早く終わらせる、安楽死についての相談をすることになった……

アントワーヌは「じっとしてお父さん、楽にしてあげますから……」と囁きながら、父にモルヒネの注射をした。そのあと、アントワーヌとジャックは「心も軽く、身うちをおかす動物的な安息に」身をまかせて、階下におりて夜食をとるが、それが何か「祝宴」のような感じを呈する。「ふたりは、それに気がつかないでいたかった。腹のへっていることも気恥ずかしく、ふたりはうれい顔をよそおって、何も言わずに」食卓につくのである。死んでゆく者、生き残る者……そして、人間の精神と肉体が耐え得る苦痛の限界……ここに描かれているものは、悲しいことながら、私たち人間の真実そのものでしかない。

アントワーヌは「おれがやったんだ」と心にくり返し、「いいことをした」と考える。しかしすぐに、そこに「怯懦(きょうだ)の精神」もまじっていたこと、「悪夢からのがれたいという肉体的欲求」のあったことを反省する。そして安楽死そのものについては、「もちろん、すべての医者に許しては危険」であり、「ひとつの掟を盲目的にまもることは必要である」ことを認めるが、その掟の正当性を認めれば認めるほど、それを意識的に破ったことをさらに是認したい気持ちになる。それは「良心の問題」であると考えられ、「一般的に言うのじゃない。おれは単にこう言うばかりだ。いまのばあい、おれはなすべきようになしたのだ」、と思えてくるのである。この『父の死』の巻では、私たちの時代においてもなお解決不可能な「安楽死」の問題が、抽象論によるのでなく、現実性のデータを積み重ねたうえで突きつめた検討をうけているのである。

父の遺骸をまえにして、アントワーヌはあらためて、死の意味について考えさせられる。「虚無」という考えが、いやおうなしに迫ってくる。「死だけが厳として存在する」こと、そしてそれが「あらゆるものを乗り越える」ことを思いしらされる。しかしアントワーヌは、「いや、いけない！」と肩をゆすって、そのような考えを追いはらう。

いっぽう、ジャックは父の死にたいして、アントワーヌとは非常に違った反応をしめす。彼は死を、「思考力の停止」と感じとり、自分の頭脳の「不断の活動」に悩まされてきただけに、それが「ぴたりとやんでくれる」ことになる「死」こそが、「思考の苦しみ」から逃れる沈黙のなかでの「安息」となると考える。なぜ彼は、自分の頭脳の活動に苦しめられ、自殺の思いにとりつかれるのであろうか。それは彼の頭脳が、四六時中、苦しい闘いを続けねばならないからである。

このことについて思い出されるのは、スタンダールの小説の主人公のことである。たとえば『赤と黒』の主人公ジュリアン・ソレルは、大自然のなかへと独りで入って行ったり、社会から隔絶された牢獄のなかに入れられたりすると、はじめて心の平安を見出し、すなおな感情の持ち主になるという、奇妙なところがある。それは、彼が社会のなかに置かれているとき、つねに怒りと反抗のための闘いに追いまくられ、そのための頭脳の「不断の活動」にせきたてられていたからである。ジャックの日常も、怒りと拒否と反抗にせきたてられていた。彼はそうした苦しい思考力の「停止」を許す「死」に、あこがれる。彼がつねに死と隣りあわせて生きていることを、私たちは見てきた。彼には、「死」への甘美な陶酔がある。そしてそのいっぽうで、というより、死と隣りあわせているがゆえにこそ、彼は死の瞬間そのものへの現実的恐怖につねにとり憑かれている。それは臨終苦という未知なるものへの肉体的恐怖であり、あの『灰色のノート』での馬の惨死や『美しき季節』での犬の轢死というエピソードが語る、「生きながらの死」の恐怖の感覚となる。また彼が父の臨終苦をはやく終わらせてやるよう頼んだのも、このためであろう。

ジャックはジュネーヴで革命家たちの仲間に入っているが、暴力革命論者になることはできないのではないか。彼は反抗的人間ではあっても、革命家にはなれない人間である。なぜならば、革命は血を要求するからである。闘いの日常を送るジャックではあるが、死の恐怖にとらえられた彼は、むしろ、人間に死を要求する戦争や革命にたいして抵抗する絶対平和主義者、となってゆく運命にあるのではないか。

ジゼールがロンドンから呼びよせられて、帰ってきた。彼女はジャックとの再会にすべてを賭けようとする。

このジゼールとジャックの愛の決裂の場面ほど、悲しくもまた美しいものが他にあるだろうか。それは、ジゼールの「あなたとお話ししなければならないのよ」という思いつめた言葉と、ジャックの「言ってみるがいいや！　ぼくのほうでも早く話がつけたいんだから！」という怒りをこめた言葉とのあいだの、あまりにも痛ましいすれちがい、そして、心とはうらはらなジゼールの「いつおたち？」と、ジャックの突きはなすような「きみは？」という決定的な別れの言葉に集約される、悲痛なものである。悲しくもまた美しいというのは、それが、人間というものがたがいに理解しあえぬ者どうしなのだ、ということを思いしらせることにおいて悲しく、ジゼールの純粋な女心と、それを知りながら、脱出のためにそれを振りすてる男心とが、これ以上みごとに描かれ得ようと思えないがゆえに、美しいのである。

なぜジャックはひたむきに慕いよるジゼールに、怒りを感じたり、軽蔑の感情を抱いたりするのであろう。ジャックの想念のなかを「こうした肉体的な魅力のあいまいさ」とか「平凡な欲情」とか「移り気なまやかし」といった言葉がよぎる。彼はジゼールをいとしいと思い、「清らかな愛の思いをこめて」彼女をだいてやり、守ってやりたいと思っているのである。しかし、彼はそのようなあいまいさのなかに留まることができない人間だったのである。彼にはすでに、錨をあげる「耳を聾するような鉄のひびき」が聞こえ、夜の中へと乗りだしてゆく船の動揺がつたわってくる。「逃げだすんだ！」ジャックはスイスの同志たちのもとへと旅立たねばならない……。そして哀れなジゼールもまた、「出かけよう」と、もはやなんの希望もない夜への旅立ちを思う……

バタンクール夫人が、アントワーヌを訪れる。夫人はお悔やみを述べながらも、アントワーヌをその魅力でまどわそうとする。アントワーヌは彼女の肉体に欲情をそそられるが、父の葬儀もおわらぬうちのこととて、それをしりぞける。しかしこの女性は、のちにアントワーヌと関係を持つことになるので、記憶にとどめておいたほうがよい、と述べておいた。おなじ、死＝性愛の同時的結合であっても、ジャック＝ジゼールの場合と、アントワーヌ＝バタンクール夫人の場合では、その性質がこうも違ってくるものなのか？

オスカール・チボーの葬儀が、あのクルーイの「少年園」の御堂で盛大にとりおこなわれた。

ジャックは少年園での葬儀には参列せず、ただ独りクルーイの墓地を訪れて、「父の死にたいして涙を」ながす。墓地を出て駅へとむかうジャックを《それ》――死――が執念ぶかく追いかける。彼はその《死》の圧迫に身をゆだねて考える――「人はいったい、なんで望んだりするのだろう？　いったい何を望むというのだろう！人生すべてはいかにも愚劣だ。何ものも、ぜったいに何ものも――人にして死というものを知ったが最後――もはや存在の意味がないのだ！」。このように不条理観にとりつかれたジャックは、「たとい人生は短くとも、人間には往々自分自身の一部分を潰滅から救うだけの余裕があり、自分自身の夢の一部を、自分を押し流す波のうえに高く差しあげ、自分が沈んでしまったあとでも、なお自分自身のうちの何物かを浮かびあがらせることができる」ということさえ忘れてしまい、「自発的な、全的な自己抹殺」という「自殺」の思いにとりつかれるのであった。作者は「忘れてしまい」と書いている。これは、ジャックにそのような希求が元来あるのだ、ということである。

アントワーヌは葬儀から帰る道すがら、ヴェカール神父と信仰問題について討論する。彼は神父の説く宗教的などは、まったく持ちあわさない。しかし、自分もまた三、四年このかた、「大きな不安な気持ちをもって、宇宙を前にしての人間の無力をはっきり知らされていた」ことに気づく。しかしアントワーヌは、ジャックよりは現実的な問題として、「自己の精神的信念の欠乏と、自分の生活にたいする極度の良心とのあいだに、なんとも説明しがたい不一致のあること」を感じて、次のように自問するのであった。

人間は、自分のなすことを愛さなければならない。だが、なぜ愛さなければならないのか？　つまり、社会的動物たる人間は、その努力により、順調な社会の進展、その進歩をつくさなければならないからだ……おお、なんとたよりのない断定、なんと人間を愚にしたような仮定！　しからばそれは、いかなるものの名においてか？

あのエッケの娘の安楽死を考えたとき未解決に放置されていた「いかなるものの名において」という問いは、ここでは、人間の営為全体にたいする問いに拡大されている。しかしまだ、それにたいする答えは得られない。チボー氏の死とともに一つの世代が終わりをつげ、それと同時に、この大河小説の前半部分をなす、平和なフランスでの人々の生活にも終止符がうたれる。

店村新次

本書は2010年刊行の『チボー家の人々 7』第12刷をもとにオンデマンド印刷・製本で製作されています。

訳者：
山内義雄
(1894 ～ 1973)
1950年「チボー家の人々」により芸術院賞受賞
訳書マルタン・デュ・ガール「ジャン・バロワ」
　「チボー家のジャック」他多数

解説者：
店村新次（たなむら　しんじ）
(1919 ～ 1991)
同志社大学名誉教授，文学博士
主著「ロジェ・マルタン・デュ・ガール研究」

白水uブックス　44

チボー家の人々　7　父の死

訳　者 © 山内義雄（やまのうち よしお）
発行者　岩堀雅己
発行所　株式会社 白水社
東京都千代田区神田小川町 3-24
振替　00190-5-33228　〒 101-0052
電話　(03) 3291-7811（営業部）
　　　(03) 3291-7821（編集部）
www.hakusuisha.co.jp

1984年 3月20日第 1 刷発行
2023年11月15日第18刷発行
表紙印刷　クリエイティブ弥那
印刷・製本　大日本印刷株式会社
Printed in Japan

ISBN978-4-560-07044-4

乱丁・落丁本は送料小社負担にてお取り替えいたします。

Roger Martin Du Gard: *Les THIBAULT*